LE CŒUR
SYNTHÉTIQUE

Fiction & Cie

Chloé Delaume

LE CŒUR
SYNTHÉTIQUE

Seuil
57, rue Gaston-Tessier, Paris XIXᵉ

COLLECTION
« Fiction & Cie »
fondée par Denis Roche
dirigée par Bernard Comment

ISBN 978-2-02-142545-1

www.seuil.com
www.fictionetcie.com

Une chambre à soi

Le cœur d'Adélaïde cogne douloureusement, comme s'il avait été frotté avec du papier de verre. Pour autant, elle sourit en défaisant ses cartons. Elle a son lieu à elle, la voilà autonome, ici sera son royaume, ce deux-pièces est parfait bien qu'il soit minuscule. Ce qui écorche son cœur, c'est l'effet du divorce, même si Adélaïde en est à l'origine. C'est dans le tribunal que ça a commencé, depuis ses ventricules n'arrêtent pas de peler. Adélaïde le sent et pense que son cœur mue, derniers lambeaux de l'amour qu'elle avait pour Élias. Dessous, une peau toute neuve, en attente d'autres émois. L'enveloppe se trouve à vif d'être mordue par le vide. Personne ne pense à elle et elle ne pense à personne, depuis l'âge de quinze ans, c'est la toute première fois. Jusqu'ici elle quittait un homme pour d'autres bras, Adélaïde, toujours, a été amoureuse. Ces sept dernières années d'Élias, jusqu'à ce que la routine lui use l'âme et les nerfs.

Adélaïde déballe ses affaires et s'étonne que toute sa vie tienne dans si peu d'espace. Elle a quarante-six ans et ne possède rien mis à part plein d'habits et sept bibliothèques. Des Billy d'Ikea, qu'elle orne de guirlandes, de papillons sous cadre, de babioles mexicaines, de lampions japonais. Une paire de stilettos trône entre deux Pléiade ; deux passions dans la vie : les livres et les chaussures. Dans son ancien appartement, Adélaïde avait une chambre d'amis qui lui tenait lieu de dressing. Un double salon, un coin lecture. Tout ça, elle le devait à Élias, qui en était propriétaire. Avec son seul salaire, Adélaïde peut louer 35 m² dans le 20e arrondissement de Paris.

Elle a pris un lit de 1,20 mètre et le moins de meubles possible. Une table, quatre chaises, pas de canapé. Partout, les portants ploient, les malles débordent, le peu de placards implose. Les livres recouvrent chaque pan de mur, grignotant la surface au sol, s'imposant ci et là par piles, en table d'appoint ou en colonnes. Bottes, bottines et baskets : pyramides dans l'entrée ; dans les angles de la chambre s'amoncellent les sandales, ballerines et escarpins. Une impression de capharnaüm que rien ne pourra endiguer. Image d'une boutique de seconde main, sensation d'habiter un rayon d'Emmaüs. Adélaïde savait à quoi elle s'exposait, quitter Élias, c'était renoncer au confort, voir son niveau de vie chuter considérablement. Elle se veut seule et libre, désormais affranchie du carcan conjugal. Il est 20 h 50 et elle est bien contente d'avoir sauté le repas.

Le corps d'Adélaïde s'étend voluptueusement sur le lit de 1,20 mètre recouvert de coussins. Solitude inédite, poitrine gonflée d'ivresse. Ouverture du champ des possibles, l'avenir se fait accueillant et enfin mystérieux. Elle s'ennuyait avec Élias, chaque jour éternel recommencement. Il lui semble aujourd'hui, à ce moment précis, qu'elle a repris le contrôle, le contrôle sur sa vie, se permettant de repartir, pour de vrai, à zéro. Adélaïde jouit du silence, palpe cet instant en suspension. Elle a un peu le vertige, beaucoup d'excitation. L'inconnu lui est accessible, la voilà prête à s'y lancer.

Le mois d'août grimpe par la fenêtre, le silence est un peu moite, enveloppant, doucereux. Adélaïde observe ce qui sera le décor de ses mois, ou peut-être même années à venir. L'étroitesse de sa chambre la saisit au gosier. Elle se dit : Par pitié, des mois, pas des années. Aussitôt dans son crâne surgissent des scénarios permettant de la reloger. Un homme propriétaire d'un grand appartement, un homme juste locataire avec un bon garant, le numéro gagnant à l'EuroMillions. Adélaïde se dit, pour se donner du courage : Ce n'est que transitoire et au moins j'ai la paix.

Le téléphone ne sonne pas et les réseaux sociaux sont ce soir désertés. Adélaïde déjà a besoin de parler. Elle a rarement habité seule, jamais plus de six mois, et elle était plus jeune, ça remonte à si loin, la dernière fois avant Élias, elle vivait mal la solitude, tellement mal, elle touchait le fond de la piscine, avant Élias, la dépression. Se retrouver seule avec elle-même ne constitue pas le problème, le problème c'est l'absence d'amour. Adélaïde se dit : Je vais rencontrer quelqu'un. Elle ajoute à haute voix : Quelqu'un, c'est obligé. Dans son parcours ce serait logique, puisqu'elle a toujours enchaîné. Elle se demande qui dans cette ville lui sera bientôt destiné, elle hésite à se tirer les cartes, préfère ne pas savoir tout de suite. Adélaïde redoute de céder à la panique si la réponse s'étale tristesse et solitude. Elle veut se fabriquer ce soir un beau souvenir, sa première nuit toute seule, sa seconde partie de vie, son nouveau commencement.

Adélaïde se lève et met de la musique. Elle s'est fait une playlist qu'elle a nommée *New Life*, comme le morceau de Depeche Mode qui y figure en premier. Adélaïde est très sensible à la bande-son qui accompagne sa vie, elle choisit une chanson capable d'incarner ce moment particulier, une chanson sur laquelle va s'inscrire ce beau souvenir. *Le Premier Jour* d'Étienne Daho. Adélaïde se cale sur une chaise, son regard photographie le décor. *Rester debout mais à quel prix/Sacrifier son instinct et ses envies.* Ses yeux se heurtent aux murs de livres et à l'absence de canapé. *Mais tout peut changer aujourd'hui/Et le premier jour du reste de ta vie/C'est providentiel.* Adélaïde chante comme on prie, et l'espoir repousse les cloisons du minuscule deux-pièces. Les guirlandes et lampions scintillent, halos multicolores le long des étagères. La pénombre gomme ce qui encombre, par la fenêtre ouverte la lune vient et sourit.

Les muscles d'Adélaïde peu à peu se détendent. Les deux plus grandes causes de stress sont les séparations et les déménagements, les épreuves achevées, il lui semble que son corps a été roué de coups. Il lui reste une semaine avant de retourner au travail, elle se dit : Je serai prête, et songe à un bain chaud. Elle aimerait un rituel de purification, baignoire remplie de mousse aérienne et nacrée. Elle convoque les images de toutes les salles de bains qu'elle a eues dans sa vie. Qualité du carrelage, température, pression de l'eau. Combien d'appartements pour combien de compagnons. Ici, c'est une douche d'angle, elle se glisse dans un triangle aux parois plastifiées. Dans sa tête, ça défile, huit hommes et un mari, doubles vasques, moulures, combien de fois du parquet. L'eau coule et elle se cogne et soudain réalise qu'elle n'a pas de savon. C'est ce dernier détail qui vient de la faire craquer. Adélaïde s'effondre dans le cercueil de plastique. Si elle ne prend pas soin d'elle, personne d'autre ne le fera.

Adélaïde ne s'est jusqu'ici que très rarement occupée seule d'elle-même. Elle s'oublie fréquemment, c'est à cause du travail. Adélaïde est attachée de presse dans l'édition. Elle est passeuse, doit convaincre les journalistes d'écrire des papiers sur les livres de son catalogue. Elle doit aussi gérer les écrivains, s'immerger dans leur univers pour le restituer au mieux. Les accompagner lors de leurs interviews, et quelquefois de leurs déplacements en librairie ou en festival. Se rendre à des cocktails littéraires. Adélaïde souvent ne sait plus qui elle est, ni parfois ce qu'elle pense, à force d'être devenue, tout le temps, la voix des autres.

Adélaïde n'a pas de famille, tout le monde est mort et elle a dû refuser à chaque fois l'héritage pour ne pas rembourser les dettes. Adélaïde n'a pas d'enfants, ça ne l'a jamais intéressée. Si elle avait eu un enfant, elle serait moins seule mais emmerdée. Adélaïde ne regrette rien, chez elle c'est une question de principe. C'est toujours elle qui change de vie, elle est moteur et non victime. Elle a confiance en son destin, se croit protégée par

Aphrodite. La déesse de l'amour ne l'a jamais lâchée, Adélaïde est sûre que très bientôt quelqu'un va venir à sa rencontre. Adélaïde a tort. Si elle tirait les cartes, elle en serait informée.

Adélaïde s'endort en oubliant son âge. Sa seconde partie de vie, elle semble l'envisager comme au temps de ses années de trentenaire ou d'étudiante. Adélaïde ignore qu'il y a bien moins d'hommes libres, elle n'y a pas pensé. Elle omet également le poids de la concurrence. Les fraîchement séparés préfèrent les femmes plus jeunes. Adélaïde sous peu sera brûlée par l'éveil.

C'est l'histoire d'une fleur bleue qu'on trempe dans de l'acide. Adélaïde Berthel, c'est une femme comme une autre. Qui, à quarante-six ans, entend sonner le glas de ses rêves de jeune fille.

Sortir ce soir

La mi-août à Paris change la ville en cimetière. Il n'y a plus un bruit, l'odeur d'asphalte brûlant fait songer au fumet d'un incinérateur. Adélaïde s'ennuie et elle est dépitée. Ses amies sont toutes en vacances, elle voudrait tant sortir ce soir mais personne pour l'accompagner. Élias était plus que casanier, ils n'avaient aucune vie sociale, jamais une fête ni un dîner. Adélaïde aspire à jouir de sa liberté. Elle a passé l'après-midi à lire dans un café, espérant sincèrement qu'elle y ferait une rencontre. Le hasard n'existe pas, alors autant s'organiser. Il va de soi que personne n'a prêté attention à une quadragénaire, même très bien habillée, attablée en terrasse. Elle a bu quatre Coca Light, fumé seize Lucky Strike, fini un roman à la mode dont elle a pensé le plus grand mal. Ces dernières vingt-quatre heures, elle n'a interagi qu'avec un serveur et une fille qui lui a demandé du feu.

Il est 19 h 30, Adélaïde est seule et pour le reste du monde, y compris sur Facebook, c'est l'heure de l'apéro. Elle songe à ses amies sur leur lieu de vacances. Judith partie en Grèce avec fille et mari. Bérangère en Ardèche dans sa maison de famille. Herméline qui randonne quelque part dans les Alpes. Clotilde qui écrit en résidence à Rome. Adélaïde aimerait pouvoir les déranger, avouer : J'appelle au secours. Elle se contente d'envoyer un message à chacune, comme une carte postale, histoire de s'occuper. Elle écrit des mensonges pour se donner du courage. *Fière de mon nouveau chez-moi. J'adore ma nouvelle vie. New Life powah rulez. Tout se passe pour le mieux.* Elle a photographié en gros plan un détail, quelque chose de joli, le sourire en plastique d'une madone mexicaine, le renflement du tulle mauve qui lui tient lieu de rideaux. Adélaïde recevra en retour des émojis pleins de cœurs d'ici peu.

Que faire quand on est seule, où sortir à Paris quand on est une femme seule, bars de quartier ou bars d'hôtel, elle pense aux clubs branchés, aussi. Elle connaît les adresses, elle est attachée de presse et plutôt dégourdie. Mais elle le sait très bien : s'accouder au comptoir, être à l'aise dans un bar, se lier à des inconnus, elle ne pourra jamais. Quelque chose de l'ordre du blocage, enfant elle était très timide, elle a dû se faire violence pour enfin s'affirmer. Se jeter dans la foule sur une piste de danse, s'y déhancher seulette, entrer en connivence avec les corps annexes, elle ne saura pas faire, et ses jambes se dérobent rien qu'à cette évocation. Adélaïde se demande si saoule ou défoncée elle en serait néanmoins capable, parce que ce serait quand même pratique si elle le pouvait. Elle redoute de passer sa soirée à jouer au Scrabble en ligne. La voilà qui se projette, une bouteille de sancerre ou quelques lignes après. Entre seule dans un bar, s'accoude au comptoir, commande une bière, sourit à ses voisins, engage la conversation. Même raide, c'est impossible. Et puis ça ne sert à rien. Un homme qui traîne le soir accroché au comptoir n'a pas le bon profil. Alors. Pénétrer dans le lobby, se glisser dans un fauteuil club, commander un cocktail, sourire à ses voisins, encore un autre problème. Ils sont plutôt de droite, les mecs des bars d'hôtel. Adélaïde s'inquiète, quoi faire pour ne plus être seule, où croiser à Paris des hommes susceptibles de venir à elle. Adelaïde gémit et cherche sur Internet, où les sites de rencontre s'imposent comme solution.

Adélaïde ne veut pas, Adélaïde s'entête. Elle refuse de finir produit sur catalogue. Elle admet qu'il s'agit de se lancer sur le marché, mais a observé Bérangère toute l'année sur Tinder. Bérangère la chasseuse. Le niveau du gibier, Adélaïde se dit qu'elle vaut beaucoup mieux que ça. Adélaïde a tort. Bérangère prend ce qu'elle trouve. Adélaïde débute et est encore naïve. Très bientôt Bérangère lui confiera : Tu sais, avant c'était facile, on envoyait du lourd sans même s'en rendre compte, maintenant, ça, c'est fini. Et très bientôt la terre s'ouvrira sous ses pieds. Pour l'instant, elle rêvasse. Elle invente des histoires dans sa tête, des histoires qui permettent de supporter le présent. Dans l'une d'entre elles, elle sort ce soir dans un club chic et croise l'âme sœur. Il est grand, émacié, et s'appelle Vladimir. Ils se reconnaîtront et il lui sourira, ses jours se conjugueront à la deuxième personne enroulée de pluriel.

Adélaïde s'ennuie et elle n'a rien à perdre, au contraire il lui faut se débarrasser du temps, de ce temps vacant, de ce temps en trop, de ces heures dont elle ne sait que faire. Elle enclenche sa playlist, encore Étienne Daho, se douche et se maquille, fait quelques essayages devant le miroir en pied. Elle a très peu de recul au milieu des portants. Elle sautille en culotte, se cogne le petit orteil, insulte diverses mamans. Puis opte pour une robe noire, fluide, à très fines bretelles, au décolleté profond, qui lui marque la taille et s'arrête au genou. Elle s'asperge de *Poison* de Dior, l'original de 1985, pas une de ses déclinaisons sucrées pour les gamines. Puis choisit des sandales à tout petits talons. Se fait un chignon haut, met sa paire de créoles. Hésite entre une pochette et un petit sac à main. Elle ne sait pas où elle va, opte donc pour le sac à main. Elle s'extrait de l'entrée, ferme la porte à clef et appelle l'ascenseur. Dehors, l'air est plus doux. Mais chaque respiration laisse un arrière-goût de cendres. Adélaïde s'en fout que ce soit la fin du monde. Elle marche comme on se noie, le réel n'a plus cours. Elle est dans son histoire, elle ne redoute plus rien, elle est un personnage, de sa vie l'héroïne. Elle arrête un taxi et s'entend prononcer le nom d'un club prisé.

Elle sort de la voiture dans un état de flottement. Devant la porte, la queue. Adélaïde s'allume d'abord une cigarette pour se donner une contenance. Les gens sont tous en groupe, les gens sont tous en couple. Adélaïde dégaine aussitôt son portable et feint de communiquer. Elle voudrait que son corps leur raconte une histoire, à ces gens qui pourtant ne la regardent pas. Quelqu'un va la rejoindre, ou elle rejoint quelqu'un. Adélaïde dit ça au physio de la boîte qui ne lui demande rien : Je vais rejoindre quelqu'un. Ça devient son scénario. Elle descend l'escalier, fouille la foule des yeux. Traverse la piste de danse, arpente lentement le bar. Puis ressort son portable, écrit des SMS qu'elle efface aussitôt, prend un air agacé, attend d'être accostée, elle veut s'entendre dire : S'il ne vient pas, tant pis, il n'en vaut pas la peine. Adélaïde regarde les hommes, les trois quarts sont bien plus jeunes qu'elle. Adélaïde regarde les femmes, elles ont trente ans et sont plus belles. Elle commande un gin tonic au bar et ne sait pas quoi faire. À cet instant précis, elle a envie de mourir. Elle repère un quadra, il a de la bedaine, elle pense avoir ses chances, elle est plus jolie que lui. Elle s'approche et se pose dans son champ de vision. Il ne se passe rien, son regard la transperce. Adélaïde découvre l'invisibilité de la femme de cinquante ans, avec un peu d'avance. À cet instant précis, elle se sent déjà morte, elle commande en zombie un deuxième gin tonic, le boit sans s'en rendre compte, enchaîne sur le troisième. Le DJ joue New Order, Adélaïde s'en va danser sur *Blue Monday* afin de vérifier si elle est devenue sociale-ment un fantôme, sur le marché de l'amour, de la viande avariée.

Elle entre sur la piste le plus gracieusement possible, affiche le sourire d'une fille en train de s'amuser. Les années 80 sont redevenues à la mode, et c'est son truc à elle, les années 80. Elle se force moins que prévu, d'autant plus qu'elle est ivre. Elle ne tient pas l'alcool, depuis son premier Malibu elle vomit au quatrième verre, quel que soit son contenu. Elle n'a pas compté, mais son ventre se fera citrouille, un verre de plus et en plein bal se retournera son estomac. Elle se déhanche en rythme, ses avant-bras serpentent. Elle s'efforce d'établir un contact, de plonger ses pupilles dans celles des autres danseurs. Seules deux jeunes femmes soutiennent son regard. Elle observe les corps qui s'agitent autour d'elle. Aucun d'entre eux ne l'attire, mis à part un grand brun à qui le nez aquilin donne un air de Vladimir. Adélaïde y croit, le hasard n'existe pas, elle s'est organisée. Le morceau dure sept minutes, Adélaïde le sait. Elle tente un rapprochement, fait un trop grand mouvement, en perd presque l'équilibre. Elle a envie de rire mais personne ne l'a remarquée. Personne, y compris Vladimir. Elle se reprend, s'accroche, suit les synthétiseurs. Vladimir quitte la piste, le morceau n'est pas fini. Adélaïde alors va vers lui et lui parle, elle n'en revient pas elle-même, le culot dont on fait preuve quand on est héroïne. Il va de soi qu'elle est en sueur et sent le gin. Qu'importe. Il répond, ils se parlent, ou plus exactement ils hurlent : Tu viens souvent ici, La musique est pas mal, T'as dit quoi, Tu veux boire quelque chose. Tu veux boire quelque chose, c'est Adélaïde qui pose la question. Vladimir n'entend pas. Adélaïde répète. Vladimir ne répond pas. Il ne la reconnaît pas. Vladimir ne sourit pas, il est déjà parti. Le cœur d'Adélaïde se remplit d'une honte épaisse. Elle en reste statufiée, tandis que son cœur déborde. La honte se répand, acide et glutineuse, bientôt tous ses organes se retrouvent liquéfiés.

Adélaïde jamais ne racontera cette soirée. Pas même à Judith, Bérangère, Hermeline ou Clotilde. Elle est allée danser, il ne s'est rien passé, il n'y a rien à en dire. Elle a osé y aller, elle aura essayé, et elle a découvert qu'elle était translucide. À mille et une reprises on lui a marché dessus, tant son corps ne compte pas, ne peut être perçu.

Une fois rentrée chez elle, elle a mis France Culture et s'est démaquillée. Ensuite elle a pleuré, des sanglots réguliers, ça a duré longtemps. Si longtemps que son visage en a été meurtri. Le sommeil ne réparera rien, elle portera un masque la journée du lendemain, le masque du chagrin, ses cernes en traînées d'huile. Sa peau, grasse et bouffie. Ses espoirs, embaumés.

Adélaïde s'endort en retrouvant son âge. Il fait chaud et ses longs cheveux s'enduisent de sueur. Ses cheveux qui sont blancs, cachés par la couleur. Adélaïde cauchemarde, elle marche dans un cimetière, une horde de zombies silencieusement l'accostent, la violent et la dévorent, tout ça sans faire un bruit. Pendant qu'elle se débat, ses cheveux s'emmêlent sur l'oreiller. De larges mèches s'enroulent tout autour de son cou, Adélaïde suffoque, aussitôt se réveille et songe au mot suicide.

C'est l'histoire d'une fleur bleue coincée entre deux pages, qui se dessèche en direct d'un authentique herbier. Adélaïde Berthel, c'est une femme comme tant d'autres. Qui, à quarante-six ans, voit disparaître l'aura qu'elle avait jeune fille.

Ma petite entreprise

Adélaïde s'étonne, mais elle est soulagée de retourner au bureau. Elle a en une semaine adressé la parole à moins de quatre personnes. Le serveur du café, la caissière du supermarché, sa voisine de palier et son chien, un yorkshire. Judith rentre demain et Bérangère ce soir. Hermeline la semaine prochaine et Clotilde dans trois jours. Adélaïde bien sûr a appelé le deuxième cercle, mais elle s'est vite heurtée à la voix de leur répondeur.

Les éditions David Séchard sont de l'autre côté de Paris, Adélaïde s'y rend en prenant le bus 975. Ce n'est pas le plus direct, mais elle aime le trajet. Elle observe par la vitre les petits commerces de quartier qui se sont changés en bars à jus de fruits, en microbrasseries artisanales et en resto-friperies vegan. Elle se demande ce faisant s'il lui serait possible de rencontrer quelqu'un au creux des transports en commun. Et pour la première fois, elle regarde, jauge les corps masculins qui l'entourent. Elle s'imagine soudain dans les bras du petit brun ou du grand blond en jeans. Assise sur les genoux du quinqua qui consulte ses mails en bras de chemise. Elle se raconte quelle vie elle mènerait avec eux. Dans quel appartement, dans quel arrondissement, comment s'habillerait-elle, que mangeraient-ils le soir, qui ferait la vaisselle, comment feraient-ils l'amour. Elle visualise leur tête à l'éjaculation, a aussitôt envie de vomir. Adélaïde se fait peur, un peu, il faut l'avouer. Elle s'attendait à être triste, mais pas à ce point obnubilée.

Adélaïde s'approche à grands pas de son travail et déjà dans la rue, elle croise des connaissances. Les éditions David Séchard sont une maison ancienne et plutôt importante. Il y a des tas de services, l'éditorial, la fabrication, le commercial, le marketing, la presse, la comptabilité et le juridique. Les postes de pouvoir y sont aux mains des hommes, les assistantes pullulent comme au temps de la sténo. Adélaïde pense à ce sondage repris par France Info : 14 % des couples se sont formés dans le cadre de leur vie professionnelle. Soit environ un couple sur sept. Adélaïde se dit qu'à la pause déjeuner, elle passera au CE. Pour l'instant elle minaude un peu dans l'ascenseur.

Adélaïde s'installe enfin à son bureau. Tout est parfaitement à sa place. La photo de Xanax, son siamois décédé, son agenda épais, ses grands cahiers, ses notes. Dans son ordinateur, sa boîte mail est remplie au-delà du raisonnable. La rentrée littéraire est un enjeu majeur, au poste d'Adélaïde, elle se prépare dès le mois de mai. Plus de 300 romans français sont publiés fin août. 20 à 40 % du chiffre d'affaires annuel des maisons d'édition sont alors en jeu, et c'est la course aux prix. Les éditions David Séchard sortent douze titres à cette rentrée, neuf romans français et trois étrangers. Adélaïde a deux collègues et une supérieure hiérarchique, elles se sont partagé le travail. Adélaïde a quatre ouvrages à défendre, quatre écrivains à protéger. Deux qu'elle a pu choisir, dont elle s'est déjà occupée : Marc Bernardier, un romancier aventurier, et Ève Labruyère, une écrivaine fantasque qui cette année s'est essayée au roman rural. Ces deux-là, elle les aime beaucoup et les placer est très facile. Leurs livres sont appréciés et ce sont de bons clients pour les journalistes. Marc Bernardier, c'est un peu l'Indiana Jones de Belleville, Hemingway qui terrasserait l'Hydre de Lerne, Bernard Lavilliers qui aurait mangé une litote, l'écrivain voyageur qui a mille anecdotes, un regard bleu acier et une capacité hors norme à mettre qui il veut dans son lit en dépit de ses soixante-douze ans.

Adélaïde soupçonne parfois Marc Bernardier d'être un vampire, une créature surnaturelle qui dévale les fleuves, les volcans et ne pourra jamais mourir. Son dernier livre s'appelle *Ici, la Papouasie,* il y entrelace récit de voyage et roman familial. Adélaïde est fan de Marc. Elle est aux petits soins avec lui, s'arrange durant ses déplacements pour qu'il ne manque jamais de rien, et surtout pas de sauvignon. L'objectif cette année, c'est le prix Goncourt. Depuis le temps qu'il publie, c'est le seul qui lui manque. Il a même eu le prix de Flore avec *Anastasia, là-bas,* un court récit sur son his-toire d'amour avec une prostituée ukrainienne, auquel se mêlaient souvenirs d'enfance et portraits des femmes de sa famille. Adélaïde veut assister à son triomphe. Un triomphe qui serait mérité, à en croire ce que chu-chotent les cieux derrière lesquels guettent les déesses.

Ève Labruyère est délicieuse, elle a cinquante-sept ans et reçoit les journalistes dans un peignoir de soie aux manches brodées de plumes. Elle a été actrice et chanteuse autrefois. Depuis dix ans, elle s'amuse. Elle raconte des histoires, un plaisir de conteuse. Adélaïde bien sûr trouve son style à pleurer, mais le fait est que ça marche et que tout le monde adore Ève Labruyère puisqu'elle est adorable, il n'y a rien à redire. Elle vend beaucoup de livres, l'opinion lui est favorable. Elle a des doubles pages dans des magazines grand public, pose en tenue de tennis avec son bouledogue, saute sur son lit en chemise de nuit. Nul n'ignore ses rituels beauté. Adélaïde raffole d'Ève Labruyère. Elle se change dans les taxis, jette systématiquement son verre d'eau au visage des chroniqueurs sexistes, se découvre dans la presse people au bras d'un amant d'un soir qui se révèle être le gagnant d'un jeu de télé-réalité. Ses livres ont pour décors des lieux et des milieux très différents, les quartiers populaires de Marseille, le centre-ville de Lyon, les montagnes du Vercors, une cité de Nanterre et, dernièrement, un petit village de Champagne, avec *L'Amour même à Anglure*. En revanche, et il faut convenir que cela constitue un souci majeur pour Adélaïde, qui, à chaque roman, doit le pitcher : l'histoire, c'est toujours la même. Une jeune fille mal barrée qui s'en sort grâce aux forces conjuguées de l'amitié et du travail, et à la magie de l'amour. Elle est plus ou moins orpheline, généralement victime d'un pervers narcissique et de la fatalité, s'est fait violer sous GHB à Marseille mais se marie avec un pharmacien à Grenoble, à moins que ce ne soit le contraire, Adélaïde confond souvent mais personne ne s'en rend compte. Adélaïde a quatre ouvrages à défendre, quatre écrivains à protéger. Les deux autres ne peuvent pas être présentés tout de suite. Une réunion d'urgence vient d'être organisée, dans tout l'étage c'est la panique. Le service éditorial et les attachées de presse sont convoqués dans la salle Rubempré par le directeur général en personne.

Ève Labruyère ne va pas bien. Elle a passé ses vacances chez des amis à l'île de Ré. Elle y a croisé tout Saint-Germain-des-Prés, les mines étaient cordiales, mais la distance marquée : elle n'était pas des leurs. L'éditeur d'Ève s'appelle Ernest Block, il a l'habitude des problèmes puisqu'il a vingt ans de carrière, mais il s'avoue désemparé. Ève se sent dévalorisée. Elle ne veut plus de prix des lecteurs assortis de paniers garnis, d'interviews sur la ménopause, d'émissions à punch line, de soirées déguisées. Elle veut être invitée sur France Culture, faire la couverture des magazines culturels pointus et des lectures à la Maison de la Poésie. Adélaïde regarde la bouche d'Ernest Block, chaque mot la tord d'angoisse.

Le directeur général s'appelle Mathieu Courtel, il est là pour gérer le problème, alors il évalue l'ambiance et demande à combien elle vend. Ernest Block répond autour de 45 000. Mathieu Courtel blêmit, la paume de sa main droite s'abat sur la table : Trouvez une solution, on ne peut pas se le permettre. Le sang d'Adélaïde se fige face au couperet. Trouvez une solution, c'est vous le service de presse. Les trois collègues d'Adélaïde tremblent, tandis qu'Ernest Block ajoute comme on se meurt : En plus, elle veut un prix. Le teint de Mathieu Courtel devient blanc comme la table. Adélaïde, elle, pense : Pourquoi pas un poney.

Ainsi commence la rentrée littéraire aux éditions David Séchard. Il est 11 h 15, mais dans le corps d'Adélaïde il est mille ans et demi. Avant d'appeler Ève Labruyère, elle doit établir une stratégie. Pour établir une stratégie, elle doit se concentrer. Évidemment, c'est impossible. Pas seulement à cause de l'open space qui la pousse parfois à passer ses coups de fil encastrée en tailleur sous son propre bureau. Adélaïde réfléchit vite et dans le constant brouhaha. Sauf que là, elle reçoit un appel. C'est Steven Lemarchand, son primo-romancier. Elle ne l'a pas choisi, mais n'aspire qu'à l'aimer. Il a vingt-cinq ans et vient de quitter sa mère, est informaticien et a le charisme d'une loutre morte, c'est ce qu'elle s'est dit pendant la séance photo. Une loutre morte, un Playmobil. Heureusement, le livre est bien mieux. *Le Dernier des souvenirs.* L'histoire d'un vieux monsieur dans un futur très proche qui vend ses souvenirs, comme d'autres leurs organes, pour aider sa petite fille à conserver ses yeux. Steven aimerait savoir s'il sera dans le magazine prescripteur des moins de 45 ans et s'il a ses chances pour la page portrait d'un grand quotidien. Adélaïde répond qu'elle a une demande d'interview de la part d'un site de SF et du blog SuperGeek.

S'ensuit une discussion sur l'injustice dans ce monde, la violence du milieu, les vertus de la patience. Il est midi et demi et le corps d'Adélaïde n'existe plus tellement. Elle sait que tout cela n'est rien face à ce qui l'attend, concrètement, dans trois jours.

Évidemment

Adélaïde a quatre amies, ce qui, en cas de rituel magique, est idéal pour invoquer les éléments. Judith est journaliste spécialisée dans la musique, elle a son émission de radio. Bérangère, son amie d'enfance, est directrice d'une agence bancaire. Hermeline est prof d'histoire de l'art à la fac, spécialisée dans le xxᵉ siècle. Clotilde fait de la littérature. Elle est publiée depuis seize ans aux éditions David Séchard mais n'a pas le même éditeur qu'Ève Labruyère, le sien c'est Guillaume Grangois, un quadragénaire enthousiaste. Il s'occupe des auteurs de textes un peu bizarres qui ne répondent pas aux critères du roman traditionnel. Des livres qui ne racontent pas vraiment une histoire, des histoires qui se racontent par des dispositifs, des fragments poétiques ou des installations.

Les livres publiés par Guillaume Grangois se vendent nettement moins bien que les collections du vieil Ernest

Block et de ses confrères, quatre mâles alpha. Deux quinquas très sûrs d'eux, Ali Gosham et Paul Sévrin, en charge de la littérature générale, dans la tradition de ce qui fait la renommée des éditions David Séchard : des romans autrefois modernes et aujourd'hui contemporains, au style très exigeant au point de parfois sentir le tweed ; un spécialiste du polar : Claude Guerrini, surnommé le tueur ; et, responsable des célébrités écrivantes et habituées aux gros tirages, Ernest Block et son bedon, qui gère secrètement une armée de plumes de l'ombre. Ali Gosham et Paul Sévrin, gardiens de la littérature générale, ont envers Guillaume Grangois la toute paternelle bienveillance qu'on accorde aux enfants turbulents mais précoces. Ils sont souvent curieux des trouvailles de Guillaume, ce dernier ne constituant pas une menace pour eux.

Guillaume Grangois s'occupe donc du laboratoire des éditions David Séchard. Mathieu Courtel, le directeur, y tient. Ernest Block pas trop. Ernest Block et Guillaume Grangois se détestent, méprisent chacun le travail de l'autre. Block clame qu'il est bénéficiaire et que tout l'argent qu'il rapporte sert à entretenir une danseuse, il appelle Guillaume la danseuse, Adélaïde l'a déjà entendu le dire. Grangois grince que la maison perd à chaque parution de Block des points de charisme et de karma, qu'elle n'a plus rien de littéraire, qu'on se transforme en imprimeur, que son image s'abîme, Adélaïde l'entend souvent. Mathieu Courtel a la migraine, mais maintient son positionnement. Cette rentrée, Ève Labruyère porte les couleurs d'Ernest Block, Clotilde Mélisse défend l'honneur de Guillaume Grangois. Adélaïde le sait, c'est un combat de coqs. Et ça la désespère d'y être encore impliquée.

Jusqu'ici Clotilde avait toujours eu la même attachée de presse, qui n'était pas Adélaïde et qui est partie à la retraite. Qu'Adélaïde prenne en charge Clotilde, ce n'est pas leur idée, ni à l'une ni à l'autre, c'est celle de Guillaume Grangois. Adélaïde est astucieuse, elle est connue pour débloquer les situations. Clotilde et elle se connaissent depuis seize ans, pour Grangois c'est un vrai plus, l'assurance qu'Adélaïde sera investie, qu'elle se battra, surmotivée. Clotilde Mélisse est une autrice au travail compliqué, la narration n'est pas très fluide, du coup, souvent, on ne comprend rien. Clotilde Mélisse pratique l'autofiction expérimentale, elle se met toujours en scène, ce qui à force indispose. Son style est reconnaissable, un petit lectorat la suit, contrairement à la presse : ses livres ne plaisent pas aux critiques, elle n'a pas beaucoup de papiers. Côté radio, c'est plus facile, Clotilde est à l'aise, fait des blagues, elle est souvent réinvitée.

Elle a été remarquée, il y a presque vingt ans, avec *Le Vagissement du minuteur*, puis n'a pas cessé de publier. *Chocobo, mon amour* ; *Le Monopoly de la douleur* ; *Merci de ne pas vous reproduire* ; *J'habite dans mon frigo*. Plus d'une vingtaine de titres où elle relate ses propres aventures, des récits où elle se prend pour cobaye. Le dernier, cette rentrée, s'intitule *Les Prophétesses de la N12*. Elle y raconte comment, avec un groupe de sorcières bretonnes, elle n'a pas réussi à empêcher la fin du monde en cours. Adélaïde est accablée. Elle ne pourra rien pour Clotilde et va la voir agoniser. Grangois ne s'en remettra pas, Ernest Block s'en délectera. Quoique. Ève Labruyère va le rendre fou, Ernest Block ne la gérera pas, Adélaïde en est certaine. Mais ce qu'il lui importe, c'est Clotilde. Clotilde qui attend qu'il se passe dans sa vie quelque chose, Clotilde qui a quarante-sept ans et sa première partie de vie derrière elle.

Adélaïde comprend ce que Clotilde investit émotionnellement dans cette rentrée littéraire. Clotilde depuis deux ans vit aussi sans amour. Le fait d'être bisexuelle ne multiplie pas ses chances, le fait d'être bisexuelle insécurise tout le monde. Sans compter qu'avec l'âge, Clotilde s'est empâtée. Elle s'obstine également à porter des fourrures, ce qui renvoie l'image d'une ogresse sans conscience. Adélaïde redoute l'accueil des journalistes, elle a pris la température, ça n'intéresse vraiment personne, *Les Prophétesses de la N12*. Hermeline présentement lui dit au téléphone : Clotilde compense sa solitude par son hyperactivité, si elle n'a pas d'actualité elle va nous faire une dépression. Adélaïde sait que c'est vrai, mais n'a pas beaucoup de solutions. Rien ne peut rompre le silence des critiques littéraires, elle a tout essayé, prononcer le nom de Clotilde, c'est voir passer un ange pendant le déjeuner.

Elle pourrait vendre Clotilde comme une authentique sorcière, user de ses contacts, ceux qui traitent dans leurs pages d'Ève Labruyère. Il existe à Paris une écrivaine sorcière, écriraient-ils, Clotilde poserait en tenue de cérémonie, l'athamé à la main, coupant de la sauge blanche au-dessus du chaudron. Devant l'autel aux sept déesses, celles de l'Olympe suivies de Lilith. Adélaïde pense reportages, télévision, buzz Internet. Puis aussitôt se ravise, Clotilde n'acceptera jamais de se négocier en monstre de foire, et leur culte des sorcières doit rester secret, comme le lui rappelle Hermeline.

Hermeline a trente et un ans, elle vit seule aussi, mais pour elle c'est un choix, sa solitude, ses chats, c'est une nécessité. Hermeline s'est égarée durant trois ans dans une relation très toxique avec une spécialiste de Monique Wittig, brillante mais grandement névrosée. Depuis sa rupture, il y a six mois, Hermeline a fait le vœu de finir Baba Yaga, elle s'exige seule et autonome. Contrairement à Adélaïde, elle n'a pas de problème de dépendance affective. Sa relation était passionnelle, elle ne souffre pas structurellement du syndrome d'abandon. Adélaïde est orpheline depuis l'âge de huit ans, ses parents ont pris la voiture pour aller à une fête et ils ne sont jamais revenus. Depuis, elle attend leur retour, c'est plus fort qu'elle, elle y pense à chaque fois que ça sonne à la porte de façon imprévue. Voilà bientôt treize ans qu'Hermeline et Adélaïde sont amies, elles se sont rencontrées à une lecture de Clotilde. Elles se téléphonent quotidiennement, sauf quand Hermeline part en trek, comme c'était le cas cet été.

Hermeline saisit très bien l'angoisse qui étreint ses amies, cette histoire de seconde partie de vie. Elle sait que c'est autre chose que la crise de la quarantaine, celle où tout le monde étouffe et fait un tas de conneries, celle où tout le monde se prouve qu'il est encore vivant. Cette fois-ci, rien n'explose, tout se dissout lentement. Hermeline est beaucoup plus jeune mais dotée d'empathie, ce qu'éprouvent ses amies, en elle, elle le ressent. Elle perçoit la violence d'une réalité à laquelle elle échappe du fait d'être lesbienne : ses amies sont soumises au désir des hommes, or ce désir s'érode. Elle s'indigne et conçoit que ce soit humiliant. Elle assiste depuis peu au déclin de leur pouvoir de séduction, elle ne peut pas le nier. C'est le cas de tout le groupe. Judith a quarante-huit ans, c'en est terminé des interviews obtenues en battant des cils. Bérangère a quarante-neuf ans et se rabat sur des profils d'hommes qui lui plaisent de moins en moins. Clotilde et Adélaïde ont quarante-six ans et sont perçues comme périmées. Hermeline n'est pas concernée, pour autant ça la fait vriller, le pouvoir que les hommes ont à ce point sur les femmes, elle dit dans le combiné : C'est une vraie injustice. Puis maudit d'une formule le règne du patriarcat.

Adélaïde a raccroché, elle est assise à l'unique table, elle se sent à l'étroit et a envie de mourir. Ça va lui arriver de plus en plus souvent. Elle pense à Clotilde et à son livre, Clotilde qui vient juste de rentrer à Paris et qu'elle n'ose pas encore appeler, Clotilde qu'il va falloir préparer psychiquement au pire. Exposée au silence, à l'absence, au mépris. Au creux du crâne d'Adélaïde, les obstacles surgissent, elle les voit et les liste. Et songe également aux nouvelles exigences d'Ève Labruyère, aux attentes de la direction, aux incarnations de la pression, ses entrailles se contractent, ses boyaux s'entremêlent, elle se demande à haute voix : Comment je vais m'en sortir ?

Il est 21 heures. Quand elle était en couple, à cette heure-là elle était devant le lave-vaisselle. À 19 h 45 devant le four, plus tard entre un film et le lave-linge. Aujourd'hui, seule et libre, elle dîne d'une boîte de Springles goût fromage en épluchant son fil Facebook. Elle n'a pas pris le pli Instagram. Elle ne sait pas faire de photos et se fabrique des souvenirs audio, une bande-son, très peu d'images. Elle observe qui pourrait lui plaire parmi ses amis inconnus. Évidemment, elle ne trouve personne, mais au moins il est 23 heures.

Adélaïde s'endort et elle fait un cauchemar. Marc Bernardier la fait monter sur un chameau, Ève Labruyère est nue dans un immense chaudron, les membres détendus comme dans un jacuzzi. Clotilde a disparu, elle la cherche partout. Il y a une immense fête où dansent tous ses collègues. Ernest Block et Guillaume Grangois font une battle hip hop, les critiques littéraires sont regroupés en banquet. Devant eux, une assiette de ragoût aux carottes. Tous mangent, mâchent en silence. Font un peu la grimace, trouvent le plat trop relevé. Mathieu Courtel surgit, il porte une toque de chef. Clotilde a disparu. Une mèche de ses cheveux flotte dans le plat en fonte. Adélaïde se réveille et prend un Lexomil.

Mathématiques souterraines

Élias a mis quinze jours à retrouver quelqu'un. Adélaïde aimerait que ça lui arrive aussi. Elle suit tous les conseils que lui donnent ses copines, hormis ceux de Bérangère qui insiste sur l'usage des rencontres numériques. Elle se rend à tous les cocktails professionnels, qui l'automne sont nombreux, en s'habillant le mieux possible. Puis file dans des clubs plus ou moins branchés où mixent des DJ qu'elle a connus par le biais de Judith. Elle y croise des hommes de tous âges, qui pour certains pourraient convenir mais chaque fois, c'est la même histoire : le temps qu'elle se bouge, on les lui pique. Elle rentre toujours écœurée, parfois vomit du gin tonic.

Adélaïde connaît les chiffres. Âgés de 20 à 64 ans, en France : 17 797 310 hommes ; 18 436 179 femmes. Ce sont les sources Insee. Les femmes sont plus nombreuses, la concurrence est rude. Elle vient de lire dans la presse : « On atteint à Paris le record de 13 700 femmes célibataires de plus que les hommes. » 13 700 de plus, 13 700 en trop. Adélaïde se sent denrée excédentaire, elle est une parmi elles, elle visualise ces femmes, elle fait partie d'une foule, 13 700 personnes ça remplit les arènes de Béziers.

Dans les 13 700, il y a toutes les tranches d'âge. De la jeune qui bientôt se soustraira à ce chiffre pour fonder une famille, à la vieille nullipare esseulée sans retraite qui mendie dans le métro. Adelaïde soudain redoute son avenir. Et tandis qu'elle se voit dans trente ans chanter Piaf en haillons station Charonne, le chiffre la rattrape, le chiffre la contemple, 13 700 personnes, les arènes de Béziers. Adélaïde comprend l'étendue du désastre, le niveau de l'épreuve. Elle est une parmi tant, pour pouvoir s'en extraire, il faudrait être choisie. Arrachée à la masse, par la main de Vladimir.

Adélaïde est courageuse, alors elle tente d'être positive. Elle se dit que sur ces 13 700 femmes, ils n'ont pas compté les lesbiennes et que ce n'est pas rien, le nombre de lesbiennes qui habitent à Paris. Du coup si on enlève plusieurs milliers de lesbiennes, plus les filles qui ne veulent pas du tout d'hommes dans leur vie, peut-être qu'on obtient un chiffre bien inférieur. De quoi remplir le Zénith Paris-La Villette. Ou si ça se trouve à peine deux ou trois Olympia. N'empêche qu'elle se tient là au milieu de la fosse, comme de sa vie devenue soudainement spectatrice.

Adélaïde croyait exister hors du regard des hommes, s'être construite au-delà de leur désir. Aujourd'hui qu'elle devient un produit obsolète, la régression la guette, elle est assujettie. Elle préférerait tant être lesbienne, ses goûts sexuels, elle les maudit. Adélaïde ressent une forme de colère, elle aimerait être capable de se passer du couple. Elle se veut autonome, parfaitement accomplie. Pour autant ce manque l'accable. Ce soir la solitude lui pèse comme un sac plein de chatons qu'on mène à la rivière. Personne ne pense à elle et elle ne pense à personne. Elle est de son vivant, pour le monde, un souvenir. Rien n'est plus humiliant que de se sentir faible à cause de cette absence, juste le vide d'amour. Dépasser ce vertige, Adélaïde éprouve toutes les formes de honte. Ça fait naître dans sa gorge l'embryon d'un sanglot.

Adélaïde consulte les statistiques. En France, 14 % des hommes en couple ont rencontré leur partenaire sur leur lieu de travail. 12 % d'une autre manière. 11 % dans une fête ou une soirée privée entre amis. 10 % sur leur lieu d'études. 10 % via un site ou une application de rencontre. 9 % dans un bar ou un restaurant.

7 % dans un bal, une fête publique. 6 % dans une discothèque, une boîte de nuit. 5 % dans un lieu public, rue, parc, bois. 4 % dans le cadre d'activités sportives. 4 % dans une réunion de famille. 2 % dans le cadre d'activités culturelles, politiques ou associatives. 1 % via une agence de rencontre ou les petites annonces. 1 % dans une fête de mariage ou de fiançailles. 1 % dans une zone d'activité commerciale. 1 % dans un lieu lié à l'activité professionnelle, séminaire, colloque, salon. 1 % à l'occasion d'une manifestation culturelle, politique ou sportive. 1 % dans les transports, bus, taxi, train, avion.

Adélaïde se demande ce que c'est, ces 12 % rencontrés *d'une autre manière*. Ce que ça laisse comme champ à part chez le boulanger ou peut-être le dealer. À moins qu'ils ne soient eux-mêmes considérés comme une zone d'activité commerciale. Adelaïde se demande de combien de pourcent elle se retrouve amputée. Elle n'a pas de famille, elle ne fait pas de sport et déteste les galeries marchandes. En dehors du travail, elle n'a aucune activité culturelle, politique ou associative. Elle se refuse aux sites de rencontre comme aux entremetteurs, se méfie dès qu'on lui parle dans les endroits publics. Adélaïde voudrait devenir cette partenaire, être dans les statistiques. Être celle par laquelle un homme se trouve en couple parce qu'il l'a rencontrée. Adélaïde ce soir, c'est vrai, se désespère. Ça peut faire de la peine de la voir autant pleurer.

En culotte sur son lit, elle s'enduit les jambes de crème hydratante, le geste est quotidien, mais il lui semble vain. Elle calcule combien d'hommes ont caressé son corps au cours de sa vie. Arrive à un total de 16. La moyenne des Français, d'après Doctissimo, est de 13,2. Adélaïde se demande quand se poseront des mains sur le bourrelet de ses hanches. S'il existe bien un homme quelque part dans cette ville ou dans tout le pays qui en aura envie, qui désirera ce corps. Elle se lève et aussitôt se cogne, puis se dresse devant le miroir. Ses seins ne tombent pas. Elle n'a pas eu d'enfants, il se maintient fièrement, son 90B. Pour le reste, que dire. Elle rentre dans un 40, sa taille est plutôt fine, son bassin développé. Elle a pas mal de ventre, elle s'est acheté une gaine qu'elle n'a portée qu'une fois, elle ne respirait pas, ne pouvait pas s'asseoir, a failli s'évanouir. Adélaïde Berthel, son corps n'est plus le même, elle doit faire des régimes. En France, 7 femmes sur 10 et 1 homme sur 2 aimeraient perdre du poids. C'est une étude Inserm. 7 femmes sur 10, 1 homme sur 2. Pourtant eux aussi ont du gras. Les injonctions ne sont pas les mêmes, et l'homme dodu demeure sûr de lui. Adélaïde se demande si un homme en ce moment quelque part dans cette ville ou dans tout le pays se regarde dans le miroir en se posant la question, la question de mon corps peut-il être désirable. Elle conclut que oui, bien sûr, peut-être même plusieurs, mais tous homosexuels.

Adélaïde se plonge, se noie dans ses souvenirs. Adélaïde neuf fois a été amoureuse. Elle a cohabité avec six des élus, est restée très longtemps avec nombre d'entre eux. Adélaïde calcule le temps passé en couple, de son premier petit ami à son dernier et unique mari. Elle obtient pour réel vingt-sept ans de sa vie. Et aussitôt ce chiffre ouvre sous ses pieds un abîme qui esquinte le plancher. Adélaïde répète neuf fois en pensant aux neuf vies du chat, capital soleil épuisé. Sur sa peau plus jamais d'amour, juste la caresse d'un mélanome. Si ça se trouve, c'est terminé, c'est ce que conclut Adélaïde. Elle sait ce que c'est d'être aimée, ça lui est souvent arrivé, ça ne l'empêchait pas de partir. L'ennui, l'ennemi d'Adélaïde. Elle n'avait rien à leur reprocher, à ses élus abandonnés, hormis la lassitude, de l'homme, de la relation, elle avait fait le tour. Adélaïde ne regrette rien, elle a seulement peur des lendemains, sait qu'ils risquent fort d'être aphones.

Dans le lit de 1,20 mètre, Adélaïde se demande depuis combien de semaines elle n'a pas fait l'amour. Et au bout de combien de mois elle adoptera le modèle de Bérangère la chasseuse. Le sexe pour le sexe, elle a peu de bons souvenirs. Sans compter que par deux fois, elle a vomi après. Adélaïde possède déjà un sextoy efficace. Mentalement elle le note : il faut prévoir des piles.

Adélaïde est triste durant les jours qui suivent. Accablée de malheur, alourdie de chagrin. Lorsqu'elle croise dans la rue, le métro, le bus, un couple, une fine lame en acier lui transperce le cœur. Adélaïde a peur que l'aigreur la dévore. De finir comme ces femmes, Mademoiselle malgré elles, que l'on appelait vieilles filles. Leur âme était saumâtre, leur sourire disparu. Adélaïde a peur d'être jalouse de tout le monde. Elle se surprend à envier de parfaites inconnues, à sécréter du fiel, à s'entendre penser sans cesse *Pourquoi pas moi*.

Adélaïde observe au creux de son téléphone ce que postent les gens sur les réseaux sociaux. Les coussins sont mal mis, elle a mal à la tête. Une connaissance s'indigne, une autre attise l'envie. Sur chaque photographie le salon est joli, l'enfant plein de drôlerie, le chat parfaitement adorable. Adélaïde voudrait rentrer dans la photo, saccager le salon, crever les yeux du gosse et kidnapper le chat. Adélaïde voudrait une autre vie que la sienne pour la toute première fois.

C'est l'histoire d'une fleur bleue qui n'a plus de racines à force d'être dépotée. Un cœur dans un bocal, une rose trémière coupée. Adélaïde Berthel, c'est une femme comme une autre. Qui désormais apprend la solitude, comme l'exilée apprend une langue étrangère.

Stewball

Adélaïde se plaint, il ne se passe rien, de sa vie il lui semble ne pas être l'héroïne. Septembre se cambre un peu, Adélaïde l'enfourche, dès lors elle traversera la rentrée littéraire en guerrière au galop. La métaphore hippique s'impose dans ce contexte. La rentrée littéraire, c'est une course de chevaux. Chaque maison est une écurie, les auteurs trottent, les journalistes posent les obstacles, il y a des trophées et des prix, dans les tribunes se font les paris. La coupe ici, c'est un bandeau qui ceint de rouge les couvertures. Adélaïde se voit en jockey. C'est elle qui drive Ève Labruyère pour qu'elle coure bien dans son couloir. Qui pousse Marc Bernardier à faire sans renâcler onze émissions de radio. Qui donne des pommes à Steven Lemarchand, qui aide Clotilde à sauter au-dessus du silence et bientôt d'un papier affreux. Un article qui la fait passer pour folle, Adélaïde le sait, elle a été prévenue. Clotilde risque de ne pas finir la course, évacuée de l'hippodrome au premier tour de piste. Pour l'instant, chez David Séchard, des neuf livres du domaine français parus à cette rentrée, quatre ont de la visibilité. Dans peu de temps, il en restera deux. Adélaïde espère que Marc Bernardier en sera. Et qu'elle sauvera Clotilde, à cela, elle va s'atteler.

La mi-septembre approche, le rythme s'accélère, comme une centrifugeuse, ce qui ne suit pas est exclu. Lorsque Steven Lemarchand, son primo-romancier, demande s'il a des chances d'avoir un papier dans un grand hebdomadaire, Adélaïde répond qu'un écrivain connu a signalé son livre dans un post Facebook qui a eu 116 like. Elle ajoute qu'il a encore ses chances pour le prix de la Page 111, elle a relu la sienne, elle est très bien tournée.

Ève Labruyère fait de son quotidien et de celui de son éditeur Ernest Block un véritable enfer. Adélaïde ne peut pas effectuer de miracle. Une attachée de presse peut être une Mary Poppins pour ses auteurs, mais pas une marraine-fée devant les journalistes. Elle ne peut pas changer Ève en autrice à la plume flamboyante. Même si Ève cette rentrée s'est métamorphosée, plus de plumes mais des vestes strictes, des lunettes et les cheveux coiffés en chignon. Adélaïde ne peut pas transformer le contenu du livre, jeter un sort de cécité à toutes les rédactions. Il est vrai qu'elle essaie une formule très ancienne aux graines de lotus et au sang de nourrisson. Ève obtient ainsi une notule bienveillante dans un journal conservateur, et une double page dans un magazine de santé sur les romans feel-good. Adélaïde est obstinée, elle cherche une porte dérobée, entrer par effraction au sein des rédactions. *L'Amour même à Anglure* se passe dans la France rurale, il y a beaucoup de descriptions de champs, de forêts, de feuillages, de chiens sauvages, de daims. En ces temps d'effondrement écologique, le lecteur est friand de nature. Elle réussit à décrocher une double page dans un hebdomadaire de référence, un article dans un quotidien prisé, et quatre pages dans une gazette écolo.

Marc Bernardier est à l'inverse, tout n'est chaque jour que moments de grâce et cabotinage délicieux, il séduit sur les ondes, a convaincu la presse. Adélaïde l'accompagne dès qu'elle le peut. C'est une parenthèse enchantée et l'occasion d'aborder l'actualité de ses autres auteurs avec les journalistes. De croiser dans les couloirs de la Maison de la Radio des connaissances d'autres services, aussi. Adélaïde est astucieuse, elle vient de faire inviter Clotilde dans un programme de grande écoute qui a comme sujet cette semaine *Les religions, pour ou contre ?* En tant que polythéiste pratiquante, son profil les intéresse. Clotilde durant une heure parlera de son expérience consignée dans *Les Prophétesses de la N12.*

La mi-septembre approche, la pression est élevée, dans la salle Rubempré les éditeurs transpirent et les attachées de presse sont à couteaux tirés. Chacune a ses poulains, n'oublions pas que tous courent sur le même hippodrome. Les espaces médiatiques sont restreints, Adélaïde et ses collègues en concurrence directe. Toutes savent très bien que la roue tourne, mais cette année, c'est différent à cause d'Anne-Marie Bertillon. La vie de bureau implique inexorablement l'existence d'un ennemi mortel qui, tel l'horrible sorcier Gargamel persécutant les Schtroumpfs, vous poursuit et vous hante, tout en lui conspire et vous nuit et conspire à vous nuire, dès lors que se trouve franchi le seuil de l'entreprise. Anne-Marie Bertillon est pour Adélaïde un supplice quotidien depuis son arrivée il y a six mois. Adélaïde la surnomme Vipère au groin, rapport à sa capacité à produire du venin tout en fourrant son nez partout.

Vipère au groin est cette rentrée responsable d'un auteur lui-même en concurrence avec Marc Bernardier, Jean-Pierre Tourvel, un ancien journaliste de guerre qui écrit ses mémoires sous forme de romans depuis 1987. Son précédent titre, *Les Enfants de la douleur,* a failli obtenir le Goncourt des lycéens. Cette année il publie *Souffrance, j'écris ton nom*, et les médias se l'arrachent. Au point qu'Adélaïde se voit fermer des portes. Marc Bernardier ne fera pas *Personne n'écoute*, le talk-show qui fait vendre, ils prennent très peu d'écrivains, ce ne sera pas pour cette année. Marc Bernardier est un conteur, Jean-Pierre Tourvel s'effondre en larmes lorsqu'il évoque ses aventures. Vipère au groin le sait et déjà elle se vante dans la salle Rubempré. *Personne n'écoute*, Adélaïde y accompagne chaque année Ève Labruyère. Mais pour son ennemie, c'est un grand événement. Adélaïde attend que leur cheffe de service lui glisse : Demande à Adélaïde qu'elle t'explique. Ce qui ne tarde pas, pour son bonheur. Jean-Pierre Tourvel sera émouvant, la caméra captera ses larmes, le service commercial gérera les réassorts.

Qu'est-ce que la mi-septembre ? Les premières listes des prix. Pour contenter Ève Labruyère, qui menace de changer de maison, son éditeur, Ernest Block se démène. Depuis près de trois semaines il invite les jurés à déjeuner au restaurant, ce qui lui vaut du cholestérol, des notes de frais vertigineuses et les foudres du directeur, Mathieu Courtel. Adélaïde, elle, a maigri. Elle saute souvent le déjeuner pour chaperonner ses auteurs, se nourrit peu et mal, le soir c'est un cocktail, une rencontre mondaine, la lecture d'un auteur où il est bon de se rendre. Mais elle jouit du silence quand elle rentre chez elle. Durant quelques semaines, Adélaïde s'avoue que c'est quand même pratique d'être célibataire. Du temps d'Élias, elle sortait peu dans son milieu professionnel, juste le minimum syndical. Maintenant qu'elle n'a plus de vie privée elle est beaucoup plus efficace. Mais s'investit peut-être un peu trop. Chaque nuit elle rêve que Marc Bernardier a le prix Goncourt et qu'elle découpe à la hache les membres d'Anne-Marie Bertillon.

Adélaïde est astucieuse, pour sauver Clotilde du marasme, elle pense communautés et donc instagrameuses. Rien ne vaut un livre mis en scène par une leadeuse d'opinion, la couverture scintillante sous l'effet du filtre, à proximité d'un chat ou d'une paire de lunettes griffées. Pour ça, il faudrait les toucher en parlant leur langage, en faisant des images, en demandant à Clotilde de poser en sorcière. C'est ce que conseille Selma du service marketing. Quand elle entend le mot marketing, Clotilde sort sa kalachnikov, aussi Adélaïde est-elle obligée de ruser. Elle en discute avec Judith, qui habite avec son mari et sa fille un trois pièces ravissant, doté d'un parquet sur lequel est tracé un pentacle, recouvert par un épais tapis. Ensemble, elles vont œuvrer. Elles convient donc Selma du service marketing et Clotilde pour une sympathique soirée entre filles. Clotilde tout comme Adélaïde en raffolent. Ce sont des moments d'échange privilégiés, intimes, où la cocaïne est toujours d'excellente qualité. C'est ainsi qu'à 3 h 52 Selma prend une série de clichés représentant Clotilde en tenue de cérémonie, l'athamé à la main, coupant de la sauge blanche au-dessus du chaudron. Elle les mettra le lendemain sur les réseaux sociaux #magiepourtoutes. Adélaïde aura l'idée de lui faire ajouter #performance. Seule une teenager fan de mode réagira #lekimonoesttropclasse. Clotilde sera furieuse et un peu en descente. Être en colère lui sera utile, car il sort, le papier affreux, celui que redoute Adélaïde, un quart de page dans le magazine prescripteur des 25-45 ans. Être en colère permet à Clotilde de se prendre le coup alors qu'elle est debout, tendue, active. La critique n'a qu'un axe : *Les Prophétesses de la N12* est l'œuvre d'une aliénée, Clotilde Mélisse est folle, a déjà été internée, à croire que les éditions David Séchard c'est devenu l'hôpital de jour. Elle fait également une allusion sournoise à la prise de poids de Clotilde : son style s'est empâté depuis *Le Vagissement du minuteur*. L'illustration de l'article, c'est Peggy la cochonne qui crie avec un entonnoir sur la tête. Adélaïde redoute que Clotilde ait soudain envie de se suicider, parce que ça lui arrive parfois pour bien moins que ça et que ce soir elle doit lire devant de nombreuses personnes qui auront lu le papier. Clotilde ne dira rien, mais se procurera une photo de l'autrice de l'article, ainsi que de la cire rouge et treize grandes aiguilles.

La semaine du 15 septembre s'abat sur tous, comme le plat de la main de Mathieu Courtel sur la table, dans un bruit mat, presque familier. Marc Bernardier l'aventurier et Jean-Pierre Tourvel le reporter apparaissent sur la première liste du Goncourt. Dans la salle Rubempré Vipère au groin défie du regard Adélaïde. Puis dit d'un air préoccupé : Marc était ivre mort hier, j'ai entendu dire qu'il avait vomi sur le libraire, il ne va pas tenir le rythme, je me fais beaucoup de souci. Adélaïde encaisse le coup en pensant très fort à Clotilde qui dépasse bien pire en ce moment. Elle répond juste : Comme d'habitude, mais tu n'étais pas là avant. Vipère au groin bat en retraite. Mathieu Courtel fait le point : Fémina, Médicis, ils ont des auteurs sur la liste. Ainsi que sur celle du prix 30 millions d'amis. Ève Labruyère s'y trouve, son héroïne développant un lien étroit avec un chien sauvage. Dès lors Ève Labruyère veut obtenir ce prix. Adélaïde ne peut rien, mais lui décrochera la couverture du numéro spécial animaux de compagnie d'un magazine à grand tirage.

L'automne fait son entrée, Adélaïde déjeune avec Élias, ils ne se sont pas revus depuis la fin juillet. Les rapports sont très fluides, bienveillants, agréables. Elle peut commander un dessert sans qu'il fasse de remarque. À l'instant de régler, Élias ouvre son portefeuille. Adélaïde constate qu'il a remplacé sa photo par celle de l'autre femme, celle trouvée en quinze jours. Adélaïde ne peut pas s'en étonner. Pour autant, ça lui fait bizarre, le même format photomaton, glissé sous le carré de plastique. Elle se sentira interchangeable et ça lui collera le bourdon.

Adélaïde se brosse les cheveux, constate qu'elle les perd par poignées. Sur la brosse, de grosses touffes, Adélaïde est stupéfaite, puis aussitôt saisie d'effroi. Le coiffeur lui vendra un shampooing antichute, le pharmacien un traitement sous forme de capsules à prendre pendant trois mois. Les cheveux d'Adélaïde sont fins et abîmés, c'est à cause des couleurs, de la chaleur des plaques lissantes, de la fatigue et des repas à base de Springles goût fromage. Néanmoins, pour Adélaïde, la cause se situe ailleurs, elle en est dévastée. Adélaïde devant le miroir a les yeux et les cheveux mouillés. Elle se trouve déjà vieille, le teint fané, cernée, une pieuvre de kératine brunâtre décédée sur la tête, tentacules pendouillant, fourchus, sur les épaules. Adélaïde comprend que sa jeunesse n'est plus, toute fraîcheur l'a quittée, c'est fini, terminé. Elle se sent presque morte, ça lui donne le vertige. Elle touche ses boucles brunes, craint qu'elles ne s'effilochent, ne se changent en limaille au contact de ses doigts. Adélaïde se dit qu'Aphrodite est partie, la déesse de l'amour, mais aussi de la beauté. Elle se sent tellement abandonnée, elle ignore quel rituel pourrait la faire revenir. Elle se demande si elle doit sacrifier Vladimir à la prochaine pleine lune, en attendant elle investit, un flacon de sérum anti-âge et une crème de jour hors de prix. Au XXIe siècle, le sang de vierge se fait rare. Adélaïde s'endort et sa décrépitude s'étale sur l'oreiller.

Ivan, Boris et moi

L'idée, c'est de lister tes ex, tous tes ex depuis le CM2.
C'est Judith qui lui propose ça. Adélaïde vraiment n'en
peut plus d'être seule, alors elle s'exécute. Elle écarte les
noms issus de la classe primaire, ils étaient trop nombreux, dans sa tête tout s'embrouille et c'est sans impor-
tance. Elle ne cite pas non plus les débuts du collège, ce
qu'est devenu Cédric, elle le sait parfaitement, elle l'a
croisé il y a dix ans dans un supermarché de la banlieue
parisienne, en survêtement, avec sa femme enceinte et
deux petits enfants extrêmement mal élevés.

Adélaïde neuf fois a été amoureuse. À quinze ans de
Sasha, à dix-sept ans de Julien, à vingt ans d'Hervé,
à vingt-deux ans d'Omar, à vingt-huit ans de Basile,
à trente ans d'Ivan, à trente-deux ans de Samuel, à
trente-six ans de Philippe, à trente-sept ans d'Élias. Elle
ignore ce que les trois premiers sont devenus. Omar
poursuit sa vie, parce qu'il n'y a pas de justice. Basile

est commercial et père de famille, Ivan polytoxicomane, Samuel un brillant avocat propriétaire d'un cinq pièces rue du Temple qu'il habite avec sa femme et ses deux filles ; Philippe, elle déjeunait avec lui chaque lundi jusqu'à ce que sa nouvelle copine le prenne mal. Adélaïde rappelle ce faisant à Judith qu'elle les a tous quittés, et que mis à part Sasha, son amoureux de troisième, elle ne remettrait le couvert avec aucun pour rien au monde. Judith note et insiste : Je t'ai dit tous tes ex.

Elle cherche le nom de ses flirts, de ses amours de vacances, met parfois un temps fou à retrouver les patronymes, Mathias quoi au lycée, Éric qui à la fac, Stéphane comment du stage d'été. Adélaïde neuf fois a été amoureuse, le reste n'est que badinages, emballements passionnels, microscopiques feux de paille. *Seulement on ne sait jamais ce qu'ils sont devenus,* c'est l'argument de Judith qui s'empare de la liste pour la googliser.

Dehors, octobre commence. La pluie devient insistante et les sujets fragiles redoutent la dépression. Ce soir Judith est aux commandes, Adélaïde ne sombrera pas. Judith s'est connectée à sa propre playlist, elle a préparé une surprise, elle sait Adélaïde sensible aux BO. Une compilation de slows des années 80, *Dreams Are My Reality, Forever Young, Your Eyes, Eyes without Face* et deux titres de Bonnie Tyler. C'est ainsi dans la joie et le second degré qu'Adélaïde, en chien, commence à se renseigner. Mes amours d'avant-hier, que sont-ils devenus ? Mes amants de naguère, qu'en est-il advenu ? Judith constate que certains sont mal orthographiés, ou hors des radars. Julien est introuvable, Hervé, elle a des doutes, le nom de famille est commun, trop de possibilités. Les autres sont traçables, compte LinkedIn, site, articles, page Facebook. Dans la gazette locale, Stéphane remporte le tournoi de tarot. Mathias est DRH, interviewé sur une chaîne de proximité, on le voit sur YouTube vanter les mérites de ses techniques de recrutement. Il a pris beaucoup de ventre mais a encore ses cheveux. Son adresse Google Maps indique un petit et très laid pavillon de banlieue. Éric était inscrit sur une liste divers droite aux dernières municipales, celle-là, elle ne l'avait pas vue venir.

Judith stalke un à un les ex d'Adélaïde, les résultats sont décevants. Ils s'affichent sur FB avec femme et enfants. Elle en identifie néanmoins deux qui restent dans la course. Sasha, son amoureux de troisième, et Antoine, un amant du temps de sa trentaine. Sasha est chef d'entreprise dans le domaine de l'informatique, Antoine est toujours responsable de la com d'un lieu culturel. De Sasha, elles trouvent facilement une adresse mail. Adélaïde rédige un message sur le ton de la curiosité, mâtinée de camaraderie. Antoine, Adélaïde se retient. Comment ça s'est fini, elle ne se souvient pas bien, pourquoi ça s'est fini, dans son esprit c'est flou, mouvant et fragmentaire.

Adélaïde se couche en pensant à Sasha, ses tout premiers émois, son amoureux de troisième. Elle se dit qu'avec lui elle n'a pas fait l'amour. Elle imagine Sasha, aujourd'hui, face à elle. Évidemment Sasha ressemble à Vladimir. Ou, pour être plus exact, c'est plutôt Vladimir qui ressemble à Sasha. Une silhouette longue, posture rigide, avec un museau aquilin. On est toujours marqué par son premier amour, il impacte le futur, imprègne l'inconscient.

Adélaïde se mouche en rêvant que Sasha lui dit : Je te retrouve toutes ces années après. Sasha sur les photos du site de l'entreprise est toujours aussi beau, Judith a validé. Elle a dit : Si ça se trouve il a tellement bossé qu'il est célibataire. Ou alors fraîchement divorcé. Adélaïde y croit, dans son lit, dur comme fer. Toutes ces histoires d'amour depuis l'âge de quinze ans n'étaient là, finalement, que pour boucler la boucle. Ainsi, c'était écrit et tout se justifiait. Le vide, toute cette souffrance, une purification. Elle retrouverait Sasha comme du temps du préau, du kiosque, de l'arrière-cour. Adélaïde enfin, ce soir, a une personne à qui penser, un objet sur lequel fantasmer et projeter son besoin d'amour.

Le lendemain matin, sa boîte mail ne dit rien, Sasha ne répond pas. À 12 h 30 Adélaïde se dit qu'avec Judith elles se défoncent beaucoup trop. À 15 h 32, Sasha répond avec enthousiasme, il est marié, a deux enfants, dînerait volontiers avec elle. Ils le feront en vieux camarades, elle ne portera pas de décolleté, elle ne touche pas aux hommes mariés, elle en fait une question de principe. Elle rentrera déçue, mais aura bien mangé.

Le lendemain soir Adélaïde traque Antoine sur Facebook, vérifie qu'il n'est pas ostensiblement en couple et qu'il n'a pas trop pris cher en quinze ans. Elle se souvient très peu de leur courte relation. Elle prenait à l'époque des antidépresseurs, un somnifère classé parmi les hypnotiques et beaucoup de Lexomil. Lui revient un baiser échangé dans la rue, un baiser de cinéma, et elle s'accroche à ça, construit autour de ça : une fluidité d'anguilles. Elle écrit réécrit le mail, choisit l'option des cordes, fait péter les violons. *Tu es mon seul regret*, elle ose des trucs dans le genre. Adélaïde n'a peur de rien, elle est déjà dans la fiction.

Antoine habite toujours à Belleville, elle scrute les photos disponibles et déjà se voit à ses côtés. Ils remontent, complices, le boulevard, se tiennent la main comme des ados, s'arrêtent chez un chinois, des plats à emporter. Adélaïde constate que ça la fait fantasmer, l'idée de ne plus dîner toute seule. Elle s'en inquiète un petit peu, penser à un canard laqué plutôt qu'à un instant torride. Chez Judith, à une fête, ils dansent. Adélaïde visualise tout, le salon de Judith dont les meubles sont poussés, les baskets fatiguées d'Antoine qu'il faudrait vite lui faire changer, la couleur du regard d'Antoine dont elle a du mal à se rappeler, elle vérifie sur les photos. De leur semblant d'histoire, elle a presque tout oublié mais Antoine est devant elle et il va l'embrasser. Adélaïde s'endort en pensant à quelqu'un, elle maintient à distance le vide et la tristesse. Elle se dit : Me voilà à l'orée d'une histoire. Et d'effleurer un commencement elle se sent de nouveau vivante.

Elle n'aura pas de nouvelles avant la semaine suivante. Antoine lui répondra *Des regrets quelle horreur, vivre dans le passé c'est moche.* Adélaïde sera vexée. Pas tant par le vent magistral, plutôt parce que le regret, de manière générale, ce n'est pas trop sa tasse de thé. Elle n'était pas sincère et mal lui en a pris. Si elle avait été sincère, elle lui aurait écrit *Viens rompre ma solitude.* Ça n'aurait pas marché non plus.

Ce qui l'arrangeait avec Antoine, c'est qu'il n'avait pas eu d'enfants. Ils voulaient tous se reproduire, maintenant, pour la plupart c'est fait. Adélaïde a peu de phobies : juste la bave, le vomi, et les fœtus dans le ventre. La vue d'une femme enceinte l'a toujours perturbée. Elle a beaucoup de mal à ne pas s'évanouir. C'est très handicapant dans l'espace sociétal, et ce fut une souffrance dans son cercle privé. Tokophobie aiguë. Elle n'a durant six mois pas du tout vu Judith lorsqu'elle était enceinte, elle s'était fâchée exprès. Son trouble est inaudible, irrecevable, pour tout le monde. Elle sue quand on lui parle d'échographie, lutte contre le haut-le-cœur quand on s'écrie il bouge, des attaques de panique se déclenchent au mot « cordon », elle ne saurait survivre aux récits d'accouchements. Et elle déteste les gosses, elle les déteste tellement, ça ne l'intéresse pas de jouer à la belle-mère. Sans compter le problème du partage, le partage de l'attention, des soins et de l'amour. Élias avait une fille de plus de vingt-cinq ans, parfaitement autonome, il la voyait très peu ; elle en était jalouse.

Adélaïde est exclusive, elle veut le couple, pas la famille. Elle se refuse au mot famille, elle pense, à l'instar de Clotilde, que la famille est la première cellule d'aliénation. Adélaïde veut être elle-même, Adélaïde veut être libre, mais l'unique centre de gravité de l'homme qui d'elle pourrait s'éprendre. Son exigence relève de la survie, voir Élias enlacer sa fille, elle ne pouvait le supporter. Pas plus que de se voir souffrir en sachant que c'était elle, et elle seule le problème.

Adélaïde ne dort pas, elle adresse une prière aux déesses protectrices. Elle a la sensation que quelque chose ne va pas quand vient le tour d'Aphrodite. Une bouffée de chaleur, la ménopause précoce. Adélaïde panique. Son corps a basculé, ses règles ont disparu et elle s'en réjouissait, mais ce soir quelque chose, quelque chose ne va pas, Aphrodite n'est pas là, Adélaïde le sait. Octobre se poursuivra, rogné par cette absence. L'automne s'entêtera à lui creuser des cernes.

Puissance et gloire

Dans la salle Rubempré, Mathieu Courtel fait le point avec les éditeurs et les attachées de presse. Le plat de sa main s'abat de façon erratique, il sort d'une réunion avec les actionnaires qui l'ont pressurisé. Il faut des résultats, d'importants chiffres de ventes, et des prix, le Goncourt. Le Goncourt : 300 000 ventes, 1 000 000 de recettes. Mathieu Courtel s'emporte, sa voix se fait cassante. Ali Gosham et Paul Sévrin sont responsables de Jean-Pierre Tourvel et Marc Bernardier, tous deux encore listés. Ils sont très investis et ont pris quatre kilos. Ils disent : On a nos chances. Et ajoutent aussitôt : À condition d'avoir de la visibilité dans les semaines qui viennent. Tous les regards se posent sur les attachées de presse dont dépendent ces auteurs, donc sur Adélaïde et sur Vipère au groin. Adélaïde détaille son programme : grands entretiens, longues émissions, et dans trois jours l'enregistrement de *La Petite Bibliothèque*, soit l'unique émission télévisée littéraire. *La Petite Bibliothèque* est à voir comme le graal, aussi Adélaïde est-elle félicitée. Arrive le tour d'Anne-Marie Bertillon, Jean-Pierre Tourvel aussi a une large couverture, et surtout il passera en même temps que Bernardier à *La Petite Bibliothèque*. Il y a eu un désistement, elle a su saisir l'occasion. *Vipère au groin* est acclamée. Dans le ventre d'Adélaïde, une lame très fine s'enfonce.

Octobre s'agite encore, les jeux sont presque faits, Adélaïde se débat. Elle met en place l'opération Sauver Steven Lemarchand, avec l'aide de Selma du service marketing. Mathieu Courtel a dit d'accord, le coiffeur passera en note de frais. Selma a obtenu le prêt de pièces The Kooples, Adelaïde de l'herbe particulièrement forte. Pour décor une ancienne usine désaffectée. Sur les réseaux sociaux, les cœurs pleuvent, ça adore. Surtout l'image en pied, où, nu sous le perfecto, Steven tient son ouvrage pour masquer son caleçon.

Marc Bernardier avoue ne pas être tranquille à la veille de passer à *La Petite Bibliothèque*. C'est à cause de Jean-Pierre Tourvel, il l'a toujours eu en horreur. Le coup du bonhomme qui s'effondre, le monopole de l'émotion. Marc Bernardier s'est déjà retrouvé avec lui sur un plateau, pas à la télé, mais à un festival. Marc défendait son livre *Viens à moi Zapopan*, qui relatait ses rebondissantes aventures au Mexique. Il tenait le public en haleine avec son histoire de grande brune et guérilleros. Quand était venu le tour de Jean-Pierre, il avait été question de mines antipersonnel et d'enfants amputés, ça avait cassé l'ambiance. Marc redoute, à raison, que les faits se répètent. Adélaïde hésite dans les loges, le jour venu. Une astuce de Bérangère, diluer du laxatif dans le verre de l'ennemi. Rendre Jean-Pierre si malade qu'il sera neutralisé. Adélaïde se retient, car elle est corporate. Elle pense aux retombées, au bien de la maison. Aussi se contente-t-elle d'en verser quelques gouttes dans le Coca d'Anne-Marie.

Le thème de l'émission porte sur les grands voyageurs. Avec Bernardier et Tourvel se trouvent trois autres invités : Amina Prado pour *À l'éléphant qui m'écrasa*, Karina Pestrova pour *Je ne suis pas seule à Saint-Malo* et Markus Rouault, auteur de *L'Europe sur une toile cirée*. Adélaïde suit l'émission depuis les loges, tandis qu'Anne-Marie agonise. Le présentateur commence par Amina Prado, Marc Bernardier s'ennuie c'est atrocement visible. Adélaïde se tend, elle assiste, impuissante, à l'œillade qu'il lance en plan de coupe à une jolie blonde dans le public. Jean-Pierre Tourvel est impeccable, tête inclinée posture d'écoute. Vient le tour de Markus Rouault, lui aussi sur la liste du Goncourt. Son roman met en regard une famille qui se déchire et les failles du modèle européen. Il livre une anecdote sur sa mère et le Brexit. Tant d'inactivité rend Bernardier fébrile, on sent qu'il ne tient plus. Jean-Pierre Tourvel intervient, il a bien connu un Anglais qui est tragiquement décédé. Le présentateur ne le relance pas, ici le numéro ne prend pas, la main d'Adélaïde plonge dans l'assiette de chips.

Le temps de Marc est advenu. Il évoque jungle et crocodiles en authentique aventurier, sait être parfaitement fascinant. Adélaïde boit du petit lait. C'est alors que surgit sur le plateau un groupe de quatre personnes, ils exigent la parole et sont très énervés. Ce ne sont pas des intermittents, mais des membres d'Action Verte, une fraction d'Extinction Rebellion. Ils déroulent une banderole : *Les livres tuent les forêts*. L'un dit : Honte au bilan carbone de vos romans. Une autre : Le papier de vos livres déforeste le Brésil. La sécurité intervient. L'émission n'est pas en direct, personne ne se doutera de rien. Mais Marc a été affecté. Lui qui parcourt le monde le voit en train de périr. Il en parle dans son livre, il a croisé la fin des oiseaux de paradis. Adélaïde ensuite aura du mal à le conserver concentré, il parlera d'effondrement, de son empreinte carbone durant ses interviews, annoncera que désormais il ne prendra plus l'avion. Adélaïde lui soufflera l'idée d'une traversée périlleuse à accomplir sur un voilier, lui évitant une dépression.

Autre auteur pour autre plateau. Ève Labruyère et son bouledogue invités à *J'aime les dimanches*, un talk-show de divertissement. Elle devait y chanter son vieux tube *L'amour, c'est pas pour toi*, mais a imposé d'interpréter un poème de Sylvia Plath accompagnée par un musicien de l'IRCAM. Adélaïde a beaucoup de mal à canaliser Ève. Son obsession pour le prix 30 millions d'amis ne faiblit pas, mais sur ce point, c'est surtout à Ernest Block qu'elle a affaire. Adélaïde doit gérer un autre objectif quotidien, désormais incarné dans un être précis : Ève Labruyère veut être interviewée par Laure Adler, et pour ce faire, elle la poursuit. Adélaïde ne sait plus quoi faire, Ève harcèle jusqu'à son mari. Ernest Block suggère quelques rencontres chez des libraires situés loin de Paris.

Les secondes listes tombent : Bernardier, Tourvel et Rouault sont les trois restants sur celle du Goncourt. Mathieu Courtel répète, comme on chante un mantra : On a deux chances sur trois. Dans la salle Rubempré, la tension persévère. Guillaume Grangois s'enquiert du cas Clotilde Mélisse. Des émissions de radio, et un peu de presse quotidienne régionale. Adélaïde précise également le plan d'action mené par la chargée des relations libraires. Clotilde va au contact du public à la source, elle sillonnera la France jusqu'au mois de janvier. De ce dispositif, Adélaïde est satisfaite. Le moral de Clotilde est parfaitement maintenu.

Octobre se meurt, novembre s'impose, les trophées sont remis en haut de l'hippodrome. Markus Rouault remporte cette année le prix Goncourt. Dans la salle Rubempré, la main de Mathieu Courtel est moite et reste à plat. Les éditeurs sont au régime, et maudissent la force de frappe de leur concurrent. Marc Bernardier embarque pour une destination qu'il gardera inconnue jusqu'à son prochain livre. Jean-Pierre Tourvel pleurera et sa femme le quittera, ce sera la fois de trop. Il sera consolé par le prix Renaudot.

Ève Labruyère, elle, a décroché le prix 30 millions d'amis. Son livre a un bandeau, mais elle est malheureuse, toujours rien dans la presse, si ce n'est dans *Atout chien*. Adélaïde l'accompagnera pour remettre le chèque de 1 000 euros à l'association de protection animale de son choix. Un refuge à côté d'Anglure. Dans la voiture elles écouteront une interview de Laure Adler. Ève dira calmement : Je sais où elle passe ses étés. Adélaïde pensera à Christophe Hondelatte, *Faites entrer l'accusé*. Elle suggérera à Ève de camper son prochain livre dans un lieu exotique, très loin, à l'étranger. De faire des repérages, de s'y prendre au plus tôt. Le bouledogue aboiera, Ève y verra un signe. Ainsi, elle écrira *Une orpheline à Bornéo*.

Steven Lemarchand retournera à son quotidien d'informaticien, dans une petite structure. Il a manqué de peu le prix de Chlore pour sa scène de piscine. Steven n'écrira pas d'autre livre. Quand il se mettra au travail, quelque chose se sera cassé. Il n'y prendra plus de plaisir, soupèsera chaque phrase, se sentira jugé. Steven n'écrira plus, et jusqu'à ce qu'il s'éteigne, il aura l'impression d'avoir raté sa vie. Adélaïde l'ignorera. Elle ne pensera plus à Steven, novembre le balaye. Bientôt elle aura d'autres profils à défendre. La rentrée de janvier est beaucoup moins cruelle.

Adélaïde ce soir ne dort pas, elle parle avec Clotilde qui se trouve à Bruxelles. Clotilde a le cafard, c'est à cause de l'hôtel, la chambre est minuscule et la déco immonde, il n'y a pas de télé, Clotilde s'ennuie et geint. Adélaïde l'apaise. Clotilde dit : Ma soigneuse. Clotilde en disant cela pense sorcière guérisseuse. Adélaïde l'entend du fond de l'écurie. Elle imagine Clotilde à l'étroit dans son box. Visualise l'hippodrome qui l'attend à chaque livre. Elles raccrochent, soulagées : cette année, c'est fini.

Cavalier seule

Le bus 975 dépose Adélaïde à deux pas de chez elle, quand elle rentre du travail, autour de 19 heures. Malgré cela le trajet lui est toujours pénible, à cette heure-là elle flotte et elle déteste ça. Elle ne rejoint personne et personne ne l'attend. Jusqu'au lendemain matin, elle va être toute seule. Il lui semble souvent que les passants la traversent, pourtant sur le court chemin, ils sont très peu nombreux. Adélaïde pourrait se concocter un dîner, faire ses courses chez le primeur, aller chez le fromager. Généralement elle saute le repas, puis se gave de biscuits quand arrive 22 heures.

La perte du temps conjugal, elle ne sait comment la compenser. Le début de soirée, le moment privilégié, le temps du débrief de la journée, de l'échange. Parfois elle se dédouble, s'encourage, s'interroge, se parle à haute voix, s'appelle *Ma fille*, de plus en plus fréquemment elle emploie *Ma chérie*. Elle pénètre dans l'entrée, accroche sa veste, range ses chaussures, puis demande *Ma chérie, qu'est-ce qui te ferait plaisir ?* Si elle ne se soucie pas d'elle-même, personne ne le fera. Adélaïde parfois s'imagine la question par la voix de Vladimir.

Elle ne peut pas prendre de bain, elle peut à peine bouger. Elle s'assoit donc à l'unique table et allume son ordinateur. Elle scrolle la vie des gens sur les réseaux sociaux, regarde un film ou une série, pleure de ne pas avoir de canapé. Elle n'a pas de télévision, elle écoute la radio pour les informations, exclusivement le matin. Le soir, y a Twitter. Elle espère qu'un message venant d'un presque inconnu va surgir quelque part. Un garçon perdu de vue, qu'elle aurait oublié ou qui l'aurait remarquée jadis sans qu'elle s'en doute. Elle lit aussi, beaucoup. Des romans de gens très morts, pour oublier le travail.

Adélaïde et ses amies habitent aux quatre coins de Paris, elles se croisent rarement la semaine. Mais se contactent tous les soirs. Hermeline, c'est par un coup de fil, Judith et Bérangère un SMS, Clotilde un appel ou un mail. Depuis les débuts de son célibat, le petit groupe la soutient comme ça. Le pilier est sororal, c'est un socle essentiel. Adélaïde ne pensait pas qu'un jour l'amitié aurait dans sa vie une place prépondérante. Elle connaît les filles depuis longtemps, mais autour d'elle, elles ne faisaient pas bloc. Elles pratiquaient ensemble la magie de temps en temps, comme d'autres font un bœuf ou se droguent, sans se fréquenter pour autant. Seule Adélaïde leur était commune. Depuis les débuts de son célibat, le petit groupe se voit chaque week-end. Un dîner, une soirée, un brunch. Conversations intimes et échanges de ressentis dans la même brasserie sur la place du Châtelet.

Toutes se débrouillent comme elles peuvent avec la solitude. Bérangère occupe ses week-ends en les peuplant de rendez-vous Tinder. Bérangère est la plus lucide, l'expérience, les désillusions, elle dit que ce qu'il reste sur le marché, c'est des mecs avec vice de forme. Elle sait que le type ne s'engagera pas, qu'il sera en tout point égoïste. Elle a fait le deuil de l'amour et ses adieux à Aphrodite, elle se consacre à son travail, trouve son équilibre affectif avec son chat Xander, se bricole une vie sexuelle. Elle a un fils de vingt-deux ans qu'elle voit régulièrement, ça contribue à son équilibre. Bérangère n'est pas malheureuse, contrairement à Adélaïde. Au point de ne pas saisir pourquoi Adélaïde a besoin de Vladimir.

Clotilde pour survivre met tout dans l'écriture. Ses doigts courent sur le clavier, elle crucifie le temps, le temps n'est plus flottant, ce temps lui appartient.

Elle souffre moins qu'Adélaïde, chaque manuscrit, un compagnon. Et si effectivement elle n'a à cette rentrée que peu d'articles, elle fait cet automne de nombreuses lectures publiques et rencontres en librairie. Le public n'est pas immense, mais ce sont des fidèles, ce qui la valorise. Clotilde avoue que quelquefois, quand les gens l'applaudissent, ça lui fait tellement chaud qu'on dirait de l'amour.

Hermeline a fait le choix de rester en ce moment seule, tout lui paraît plaisant, le silence permanent, l'absence de stimuli. Le dîner elle s'en fout, une soupe Picard et c'est réglé. Le soir elle corrige des copies, elle regarde une série ou elle prépare ses cours. Elle peint aussi, beaucoup. Des reproductions de tableaux de maîtres qu'elle réalise en miniature. Hermeline se sent épanouie, mais confie que parfois l'envie de partager la saisit, comme cet été dans les montagnes où le panorama était somptueux.

Judith a un mari et une fille de neuf ans, et sa franchise la pousse à dire : Je vous envie, malgré tout, je vous envie, vous ne vous rendez pas compte. Judith traverse une crise de couple, François l'indispose, si mou et si peu dans l'action, il faudrait un électrochoc, déserter le foyer soudainement, mais ça elle ne peut pas, elle ne peut plus le faire, bien sûr, il y a l'enfant. Judith n'a pas de temps de flottement, pour elle le temps est domestique à partir de 19 h 30.

Judith dit : Je ne m'appartiens plus. Adélaïde répond : Moi, je ne suis à personne. Clotilde conclut : N'oubliez pas, la propriété, c'est du vol. Hermeline recommande une bière. Bérangère sourit au serveur. Novembre s'achève dans la torpeur, décembre déferle, déstabilise. À croire que les planètes sont très mal alignées.

Dans son agence bancaire, Bérangère s'est éprise d'un client, et en quinze jours est devenue la maîtresse d'un homme marié. Hermeline ne touche pas à sa bière, elle lui répète : Pense à sa femme, prononce le mot sororité et finit par quitter la table. Judith interviewe un chanteur, et pour la première fois depuis treize ans, envisage de tromper réellement son mari. Clotilde le lui déconseille, Judith est une mauvaise menteuse, elle mettrait en péril plus que son couple, sa famille. Judith s'emporte soudain : J'en peux plus de la famille. Clotilde s'exclame : T'avais qu'à pas te reproduire. Judith explose en larmes et part prendre un taxi. Bérangère, vu l'ambiance, préfère rentrer chez elle.

Devant son gin tonic Adélaïde hésite à demander à Clotilde si elle est au courant de ce qui se passe en ce moment dans le monde de l'édition. Décembre engloutit tout, le groupe éditorial qui possède les éditions David Séchard vient juste d'être racheté. Les nouveaux actionnaires ont consulté les chiffres, la ligne éditoriale et les choix stratégiques vont être réévalués. Mathieu Courtel est en danger, le personnel en émoi, Adélaïde catastrophée. Clotilde lui dit : Tu sais, j'écris un nouveau livre, j'ai trouvé la bonne forme, je m'y suis mise, ça y est. Alors Adélaïde se tait. Elle garde pour elle l'angoisse, elle ne peut la partager, elle se dit que parfois l'étendue de son angoisse ressemble à un panorama somptueux.

Adélaïde appelle tous les soirs Hermeline, qui pourrait s'en passer. Elle voit bien que le vide a besoin de se remplir avec n'importe quoi, même des mauvais objets. Névrose obsessionnelle, Adélaïde le sent, Adélaïde le sait. Au bureau, elle ne peut plus souffrir Ernest Block. Il ne dit pas *Il faudrait*, exclusivement *J'attends*. J'attends le papier, j'attends la couverture, j'attends les interviews. Il ne dit pas *bien joué*, ni *merci*, ni *bravo*. Il exige davantage et n'est jamais content. Il a toujours été comme ça, mais avant il y avait Élias, Élias pour l'écouter, Élias pour la calmer, Élias pour la comprendre. Ça la faisait redescendre, lui permettait le lendemain d'affronter l'affreux Block sans assaut de pensées morbides. Adélaïde souvent entre ses doigts tient un trombone qu'elle change en arme et lui enfonce dans la carotide ou les yeux. Le soir elle s'imagine l'égorger lentement, et dans son ventre s'envole une nuée de papillons.

Décembre s'engouffre partout, les rues sont en travaux, le bus 975 dépose Adélaïde de l'autre côté du boulevard quand elle rentre du travail, autour de 19 heures. Le froid rend tout pénible, et elle croise plus de monde maintenant qu'elle passe par là. Du monde pour qui Noël approche, son cœur se serre et elle se dit : N'y songe pas, surtout, n'y songe pas. Adélaïde est courageuse, elle lutte contre le temps flottant. Elle fait tout ce qu'elle désire, manger dans un thaï succulent, aller au cinéma, finir sur une terrasse chauffée devant un gin tonic. Elle sait que personne ne la voit, ne la regarde, elle en profite. Elle se sent comme un fantôme, elle pense à Bruce Willis dans *Le Sixième Sens*, elle se dit si ça se trouve je suis morte, depuis quand, elle se le demande, choisit un accident de la route. Ce soir-là ses parents l'avaient emmenée à la fête de Mireille, ce soir-là ses parents et elle dans la voiture. Parfois on la croit seule, mais elle dîne et s'assoit en face de Vladimir.

C'est l'histoire d'une peur bleue qui se regarde dans le miroir. L'histoire d'une solitude qui se conjugue pour survivre. Adélaïde Berthel, c'est une faille comme une autre, moins longue mais plus profonde que celle de San Andreas.

Ce soir c'est Noël

Adélaïde adore Noël, mais hélas elle est orpheline. Elle n'a plus de couple, plus de famille, personne avec qui partager la dinde et ensuite ouvrir les cadeaux. Elle marche dans les rues et se dit : Mon cœur est un sac à sapin. Adélaïde adore Noël, elle en a connu des somptueux, grâce à ses ex et leur famille. Sauf avec Élias, il n'avait plus que sa fille et avait toute fête en horreur. Adélaïde aurait aimé se rattraper cette année, un banquet surchargé et devant la cheminée des chaussettes débordantes. Pour la première fois de sa vie, elle n'a nulle part où se greffer. Ses amies le vivent comme une corvée, mais sont toutes au chaud en famille. C'est le 23 décembre, Adélaïde est seule et elle marche dans Paris pour faire semblant de vivre.

Évidemment, il ne neige pas. Il fait affreusement doux et le ciel est poisseux. Les passants se pressent, ils font leurs courses. Une femme au téléphone dit : Il me manque juste maman. Adelaïde la suit, pull ou parfum, fait des paris, l'inconnue achète une bougie puis se perd bientôt dans la foule. Adélaïde se demande ce qu'elle offrirait à sa mère si elle était encore vivante ; pull ou parfum, livre ou bougie. Est-ce qu'elle serait investie ou, à force, négligente, achat de dernière minute, il me manque juste maman. Bien entendu Adélaïde pense chaque Noël à ses parents, à sa grand-mère qui l'a élevée, à son enfance qui s'est achevée par un accident de la route. Mais cette année, c'est différent. Elle n'a que ses morts à qui penser, que ses morts avec qui réveillonner et personne ne lui fait de cadeau.

Adélaïde est en vacances et, durant une semaine, elle va être soustraite à toute interaction humaine. Pas un mot, un geste, un échange. Si ce n'est avec les commerçants. Elle pressent la venue de Madame la Dépression. Depuis des mois Adélaïde l'entend qui gratte sec à sa porte, elle sait que les gonds vont lâcher, c'est une question de jour et d'heure. Adélaïde marche loin de chez elle. Elle est désemparée et appelle Vladimir. Il lui prend le bras et aussitôt lui demande : Chérie, dis-moi ce qui te ferait plaisir.

Adélaïde ne veut plus être seule, elle y a longtemps réfléchi, elle va reprendre un animal. Xanax est mort il y a deux ans, c'était un siamois épatant, elle a mis du temps à s'en remettre, ils avaient partagé quinze ans de vie. Le chagrin que ça lui a fait, elle ne sait pas comment le raconter. C'est comme si on lui avait découpé un gros cube de viande dans le cœur, tailladé l'âme, mordu la nuque. De la mort de Xanax, elle ressent encore la douleur, mais elle n'a plus envie de pleurer. Il est mort dans ses bras en hoquetant d'effroi, ses yeux se sont vitrés. Adélaïde ne savait pas quoi faire du corps, où l'enterrer, le conserver, qui appeler pour l'incinérer, il était 21 h 30, Élias l'a mis dans un grand sac et l'a descendu aux ordures. Son petit chat mort aux ordures, c'est comme ça que ça s'est terminé. Adélaïde se demande encore si elle aurait voulu qu'Élias mette le cadavre dans le frigo et contacte un taxidermiste. Ou qu'ils apportent la dépouille au vétérinaire, le lendemain, pour obtenir plus tard une urne. Une urne qu'elle rangerait où, elle ne voit pas très bien. Ils auraient pu conserver le corps, faire une demande, construire une tombe dans un cimetière pour animaux. Adélaïde jamais ne se rend sur la tombe de ses propres parents, elle n'en perçoit pas l'intérêt. Son petit chat est mort, c'est dur, c'est comme ça, fini, terminé.

Adélaïde s'est décidée, oui, elle va reprendre un animal. Un chat, bien sûr, un chat siamois. Pas oriental, trop anguleux. Un siamois thaï, c'est ça qu'elle veut. Comme feu Xanax, de grands yeux bleus, un caractère quasi canin. Adélaïde a pour les chats des goûts plus arrêtés et précis que pour les hommes, à l'exception de Vladimir. Elle fait une pause dans un café, chocolat en terrasse chauffée, ce jour peut devenir important, elle en parle avec Vladimir. Sur son smartphone, elle se renseigne. Sur Le bon coin, peu de chats siamois, ou alors en banlieue lointaine. Elle a jadis acheté Xanax dans une animalerie qui, contrairement à ses voisines du quai de la Mégisserie, n'a pas fermé pour raisons sanitaires. Elle se dit que cette fois, elle voudrait une femelle. Elle aimerait éviter toute forme de comparaison potentielle. Vladimir est d'accord, il lui conseille d'appeler. Ses mains tremblent, elle demande, ils ont trois chats siamois, un mâle et deux femelles. Adélaïde sourit et s'engouffre dans le métro.

Durant tout le trajet, elle cherche comment nommer celle qui sera sa compagne en seconde partie de vie. Elle a déjà listé des noms, avec la lettre P elle obtient Pétronille, Parrhèsia, Pleurésie, Prozac c'est trop commun, Prudence, Phoebe et Paige beaucoup trop connoté. Ce sera Perdition, le mot s'est imposé. Le cœur d'Adélaïde s'emballe, ça ne lui est pas arrivé à ce point depuis une éternité. Elle a des bouffées de joie arrivée au pont Neuf. Elle approche de l'animalerie en abandonnant Vladimir, dans sa tête elle répète : J'arrive, je viens te chercher, ma petite Perdition.

Dans son box vitré, Perdition s'est dressée au milieu des chatons. Adélaïde pénètre dans la boutique, demande où sont les chats siamois et rejoint aussitôt Perdition. Elle a quatre mois, son passeport est hongrois, et dans les bras d'Adélaïde ses ronronnements sont si puissants qu'ils lui font un massage cardiaque. En apprenant que le chat lui a coûté un SMIC, Élias pétera un plomb. Adélaïde, elle, sera heureuse. Et se félicitera d'avoir quitté Élias sans qui cette rencontre n'aurait pas eu lieu.

Le 24 décembre, peu avant 22 heures, Adélaïde traîne près du pont de l'Alma, espérant qu'il se produise un truc comme dans une chanson de Barbara. Personne ne lui dit : Joyeux Noël, alors elle rentre chez elle jouer avec le chaton. Ce faisant elle longe les immeubles, partout les fenêtres sont éclairées, on devine les gens attablés, le cœur d'Adélaïde se serre. Elle veut fumer une cigarette, le vent ne fait qu'éteindre son briquet, elle pense très fort à *La Petite Fille aux allumettes*, n'ose pas prononcer un seul vœu. Dans le métro désert, deux couples et une jeune fille. Dans leur sac, des cadeaux. Adélaïde ce soir se sent vraiment très seule. Elle comprend que c'est ça qui l'attend désormais, être exclue des rituels sociaux, elle n'a pas fait de famille, elle n'a pas de famille, elle n'est pas attendue, n'a de lien qu'avec le vide, et dans le creux de son ventre, le vertige la dévore.

Elle supplie les déesses de ne pas l'abandonner. Elle a fait le choix de quitter Élias, Élias que les déesses lui avaient envoyé. Qu'au bout de neuf ans elle se lasse, Aphrodite en est peut-être vexée. Adélaïde s'imaginait retrouver si vite d'autres bras, elle se dit que ça fait six mois, six mois qu'on ne l'a pas désirée, le chiffre est mince, au fond, grotesque. Adélaïde s'en veut, de ce manque d'autonomie affective. Elle cajole Perdition, s'émerveille un instant, se console en se disant : Ce chat est mon cadeau. Le célibat lui pèsera, mais plus la solitude. Dans le minuscule deux-pièces, une vie s'agite à ses côtés, modifiant la déco, s'agrippant aux rideaux, provoquant ci et là l'éboulement des fragiles pyramides de chaussures. Elle s'endort, Perdition ronronne contre sa joue.

Le 25, Adélaïde le passe au téléphone. Judith est en Savoie, au milieu de nulle part, au sein de sa belle-famille. Ils sont plus d'une quinzaine et ses nerfs vont lâcher. Sa petite de neuf ans a reçu cinq Barbie, et elle un nécessaire à manucure. Au moment de la bûche, ils ont parlé du voile et elle s'est emportée, la mère de François a dit : Parles-en aux Iraniennes. Hermeline dans les Alpes a passé le repas avec ses parents ivres et sa grand-mère Jacqueline qui perd un peu la boule, son oncle lui a demandé si elle comptait se marier maintenant que c'était permis aux gens comme elle. Bérangère chez ses propres parents accueillait pour la première fois la petite amie de son fils, auto-entrepreneuse très fière de sa start-up, ayant pour ambition d'accumuler de l'argent. Elle croyait que Bérangère avait fait sa carrière dans son agence bancaire par vocation, elle a été déçue. Depuis, tous les deux avec son fils, ils la regardent d'un drôle d'air, comme si elle avait complètement raté sa vie. Clotilde écrit un livre, pour elle, être sans famille, parfaitement isolée, est une bénédiction. Elle profite que Paris soit vide et au ralenti. Ses voisins font l'amour quasi quotidiennement, ça lui colle le cafard, là ils sont en vacances. Aucune d'entre elles ne sera disponible le 31.

La Saint-Sylvestre sera rude en dépit de Perdition. Toutes ces dernières années avec Élias, ils restaient terrés, seuls, il n'y avait pas de fête. Sa frustration était énorme, Adélaïde veut se rattraper. Hélas elle a reçu très peu d'invitations, et les plans qui se profilent promettent d'être faisandés. Par mail et SMS, un grand dîner vegan, une soirée sans chaussures et sans cigarettes, un concert dans un squat du côté de Sartrouville. Elle dîne de foie gras truffé devant son ordinateur, elle regarde une série, le chaton sur les genoux. Perdition, pleine de miettes, a les oreilles mouillées.

Adélaïde accepte, accueille et fait le deuil. Elle se dit : Dans mon cœur je m'invente Vladimir, et c'est déjà pas mal, ça peut être suffisant. La première nuit de l'année, elle rêvera qu'elle est seule et qu'elle longe une falaise. Que Perdition surgit et qu'elle manque de tomber. La première nuit de l'année, elle sautera de la falaise, Perdition dans les bras, un sourire sur les lèvres, le soulagement au cœur. Au réveil elle aura, bien sûr, tout oublié.

Pan, pan, pan, poireaux pommes de terre

Pour commencer l'année dans de bonnes conditions, Adélaïde s'en remet à ses résolutions. Elle ne compte pas faire de sport, ni devenir vegan, mais marcher un petit peu et surtout manger bio. L'idée lui est venue parce qu'elle a mauvaise mine, au point que ça doit venir de l'alimentation. Elle boit beaucoup de Coca sans sucre, est à trois pizzas par semaine, a oublié le goût des pommes crues. Elle s'en est donc remise aux conseils de Bérangère, qui se nourrit de légumes frais et use des circuits courts. C'est ainsi qu'aujourd'hui, pour la toute première fois, elle pénètre dans le temple des marchands de quinoa.

La boutique est austère mais bien achalandée, il s'agit finalement d'un petit supermarché, Adélaïde pourtant est très impressionnée. Au milieu des produits qu'elle ne reconnaît pas, elle se sent une touriste. Les gens ont tous leur propre tote bag, Adélaïde n'a pas de sac, ici pas de panier en plastique, elle n'ose pas demander et aussitôt panique tant tout lui semble hostile, parfaitement étranger. Les dreadlocks du caissier s'agitent sans le moindre bruit. Il n'y a pas la radio, il n'y a pas de musique. Le caddie d'une femme couine, Adélaïde hésite, est-elle prof d'arts plastiques ou bien intermittente. Adélaïde l'observe, de la farine de lentilles, des galettes de soja, elle n'aura pas d'indices. La roue voilée s'éloigne, Adélaïde décrypte le rayon plats préparés. Elle se demande si l'épeautre ça a le goût de l'orge et si elle sera capable d'avaler cette bouillie. Les brosses à dents en bois la toisent, elle pense à des échardes qui lui mordent les gencives, ça lui fait des frissons comme le crissement d'un ongle le long d'une grande ardoise.

Cela fait moins de six minutes qu'elle est dans le magasin, mais il est évident qu'elle a envie de mourir. Elle essaie de comprendre ce qui ne va pas chez elle, ça ne peut que venir d'elle, elle en est bien consciente. Ces gens sont du côté de la raison, du bien-être, ils respectent leur corps autant qu'ils le protègent et protègent la nature. Bérangère lui a dit que l'enseigne était parfaite, suggéré baies et graines, donné la marque d'une levure. Adélaïde se cogne aux étals et flotte entre le boulgour et le jus de betterave en promotion. Les légumes sont pleins de terre, les salades ont vécu.

Les pâtes ont des couleurs bizarres, les tisanes des noms grotesques, elle ne va pas tarder à pleurer.

Elle voudrait se glisser dans la peau de toutes ces femmes qui l'entourent, remplissant si sûres d'elles leur sac de boîtes de faux gras et de tofu soyeux. Elle sait que le faux gras, ça a un goût de carton que l'on peut tartiner, on lui en a fait goûter sans qu'elle le fasse exprès. Elle attrape en tremblant un flacon d'eau micellaire, puis simule la quête d'autre chose. Quelque chose de précis, elle fronce un peu le front. Elle se heurte à un homme qui choisit des poireaux. Il a la quarantaine, un épais manteau de laine, une écharpe vermillon. Son nez n'est pas très grand, mais il suffit à lui évoquer Vladimir.

Adélaïde se rappelle que 1 % des rencontres se font dans une zone d'activité commerciale. Comme c'est la première fois qu'elle se rend dans ce lieu, elle doit bénéficier de la chance des débutants. Elle se dit que ça ferait un drôle de début d'histoire, j'ai rencontré Richard, il achetait des poireaux et des pommes de terre. Elle a envie de l'appeler Richard, il a une bonne tête de Richard, d'Édouard, ou de Jean-Quelque chose. À cause de l'écharpe vermillon, c'est du cachemire, elle est formelle, probablement du triple fil. Adélaïde choisit trois ou quatre pommes de terre, les glisse dans un sac en papier. Richard s'empare de quelques légumes verts qu'Adélaïde ne connaît pas et d'un morceau de citrouille. Adélaïde se demande à quoi ressemble une vie où on se nourrit de poireaux et de morceaux de citrouille. S'il lui est possible d'éprouver du désir au milieu de l'odeur des poireaux.

Richard s'approche maintenant des fruits secs et des noix très diverses qui sont en libre-service. Il tourne la manette d'un coup sec, remplit un sachet en papier kraft. Des noix de cajou au tamarin. Adélaïde fixe le gros bocal aux noix brunes, quel goût ça peut avoir, le tamarin. Elle hésite à poser la question à Richard. Ce n'est qu'une supérette bio, elle aurait l'air d'une gourde, elle ne peut pas lui dire : Je souhaite être initiée. Elle se colle un peu à Richard, devant les noix du Brésil vendues un rein le kilo. Richard se parfume beaucoup, elle n'identifie pas, mais ce n'est pas un Guerlain. Elle copie ses mouvements et tourne la manette, il va de soi que cette dernière se coince, tandis que les noix hors de prix se répandent en jet sur le lino. Aussitôt un vendeur surgit, il retient sa colère dans un pull fatigué. Adélaïde se confond en excuses, Richard la regarde, amusé. Il a les traits extrêmement fins, elle lui rend son sourire.

Il y a beaucoup de fromages de chèvre et de tofus accommodés, Adélaïde prend ses distances, Richard regarde les tablettes de chocolat au lait d'amande puis retourne au rayon légumes pour y comparer les concombres. La sitophilie, du grec *sitos*, blé, et *philia*, amour de, consiste à pratiquer des jeux sexuels avec de la nourriture. Adélaïde pense à ce mot, sitophilie, et se demande comment il a pu voir le jour. À croire que dans l'Antiquité, les Grecs se masturbaient souvent avec des sacs de blé. Elle s'interroge sur la façon dont Richard se masturbe, il emporte le plus grand des concombres et file au rayon sans gluten.

Adélaïde se laisse tenter par un thé vert détox et des huiles essentielles, ses bras sont trop chargés, son menton sert de cale, elle a également pris une boisson à l'avoine et un pain de campagne en plus des pommes de terre, des noix du Brésil et de l'eau micellaire. Elle attend que Richard se dirige vers la caisse pour se glisser derrière lui. Elle aime bien son parfum, elle le trouve raffiné. Un peu comme sa gestuelle qui se déploie quand il pose les articles sur le tapis. Elle imagine une suite, devant le magasin, le sac en papier qui craque, laissant rouler les pommes de terre. J'ai rencontré Richard qui avait fait tomber ses poireaux. Elle imagine l'ensuite, il prendrait un café et elle un Coca Light parce qu'elle n'aime pas le café, à la terrasse chauffée du bar qui fait l'angle. Partageraient leurs recettes de soupe au potiron. Parleraient des espèces en voie de disparition, feraient remarquer au serveur : Maintenant c'est illégal que les pailles soient en plastique. Ils échangeraient leurs numéros, s'enverraient durant vingt-quatre heures des messages de plus en plus intimes. Ils feraient l'amour plutôt chez lui, du parquet et un lit king size. Au matin il lui proposerait sûrement des œufs brouillés.

Devant le caissier aux dreadlocks, Richard range les œufs frais, les steaks de soja, le chocolat au lait d'amande, le tofu, les noix de cajou, les fromages, le concombre, le morceau de citrouille et les si étranges légumes verts. Il fait vraiment tomber par terre les trois poireaux. Adélaïde bien sûr aussitôt se dit : C'est écrit, et se précipite pour les ramasser et les lui tendre. Jamais autant d'espoir ne fut placé dans des plantes potagères. Son regard pénètre le sien, ses lèvres s'entrouvrent, son souffle se coupe. Richard lui dit : Merci beaucoup. Et soudain, en quatre syllabes articulées avec emphase, c'est tout son fantasme qui bascule pour s'échouer en plein Alcazar. Pas raffiné, efféminé, Richard est gay, pas le moindre doute. Adélaïde est effondrée, elle laisse échapper ses articles qui se déversent sur le tapis. Richard dit au revoir au caissier de sa voix chaloupée, pour disparaître sous l'averse. Adélaïde est étonnée de ne rien avoir décelé, la démarche ou les gestes. C'est pour ça qu'elle ne blêmit pas au moment de l'addition.

Adélaïde prendra la pluie, le sac en kraft sera détrempé. Elle devra nettoyer longtemps ses pommes de terre avant de les mettre à bouillir pour en faire de la purée. Le thé sera astringent, la boisson à l'avoine parfaitement insipide, le pain de campagne caoutchouteux, les noix du Brésil décevantes. L'eau micellaire ce soir n'a pas raison de son eye-liner, elle s'est trompée d'huiles essentielles, celles-là ne sont pas dynamisantes. Adélaïde est mécontente, et surtout très inquiète d'être tellement en manque que ça a perturbé son détecteur de gays.

Elle en parlera à Hermeline, qui entendra le dysfonctionnement. Le lendemain elle ira dîner toute seule dans une brasserie, elle commandera une côte de bœuf, des frites et un supplément béarnaise. Elle le taira à Bérangère, chez qui elle se rendra le samedi soir suivant. Au menu il y aura une salade de chèvre, des aubergines grillées et une quiche aux poireaux.

On va tous crever

Dans la salle Rubempré, janvier se fait violent et tout le monde est sous le choc. Les mains de Mathieu Courtel sont posées sur la table, Adélaïde constate qu'il est sous Lexomil. Les éditions David Séchard appartiennent au groupe Book & Press, ce dernier vient d'être racheté par le groupe Multiplus. Mathieu Courtel hier a fait la connaissance des nouveaux actionnaires. Il ne s'en serait pas sorti, même avec le Goncourt. Les éditions David Séchard, outrageusement déficitaires, Book & Press le tolérait pour une question d'image. Mathieu Courtel dit : C'est fini, ajoute qu'il a été viré, que la ligne éditoriale va être modifiée. Il se lève et se cogne, à cause des Lexomil. Ernest Block se demande qui va les diriger. La porte s'ouvre, entre un homme qui se présente : Charles Chaloir. Mathieu Courtel s'en va, Charles Chaloir prend sa place. Il ne dit pas bonjour mais : Il faut du changement.

Il est grand, sec, s'exprime froidement. Mis à part les polars et les parutions de Block, tout le monde perd de l'argent. Ça ne peut plus continuer. Guillaume Grangois est officiellement invité à partir. Il quitte la pièce tandis que le silence s'épaissit. Ali Gosham et Paul Sévrin sont priés de donner dans le roman sociétal et les textes grand public, sous peine de laisser Block gérer tout seul le service littérature. Charles Chaloir annonce : Je ne viens pas les mains vides. Il promet les autobiographies d'une star de la télé-réalité, d'un présentateur qui a démarré à l'ORTF et d'une comédienne orpheline qui a le rôle principal dans un feuilleton de TF1. Il confie à Block deux paquets contenant des manuscrits classés confidentiels. Il lui dit : Venez me voir demain dans mon bureau. Ernest Block acquiesce, il se sent important, ses commissures frémissent dans une pure indécence qui n'échappe à personne, sauf à Adélaïde qui depuis l'entrée de Charles est dans un drôle d'état, qualifiable de second.

Charles Chaloir se tourne vers les attachées de presse : Nos livres doivent être des événements qui passent au journal de 20 heures. Les filles se demandent si elles rêvent, leur cheffe a la nuque qui se raidit, toutes tremblent évidemment d'horreur mais pas Adélaïde, elle n'entend pas les mots de Charles, elle observe ses lèvres dessiner des syllabes, ses propres pupilles se dilatent, la voilà qui sourit. Adélaïde trouve Charles joli, il a le nez de Vladimir. Avoir de l'attirance pour un homme, ça ne lui est pas arrivé depuis Élias, il y a neuf ans. Au creux de son ventre, des picotements. Dans le crâne d'Adélaïde, c'est la France occupée qui succombe à l'ennemi, une voix fait Radio Londres : si les carottes sont cuites, demain tu seras tondue. Le cœur d'Adélaïde tente en vain d'amadouer ce qui reste de son cerveau : il est vraiment sexy, elle l'imagine au lit, mais sa raison dit non. Le cœur d'Adélaïde s'enduit de renoncement.

Dans la salle Rubempré, elle ramasse ses affaires, Charles Chaloir est parti, les éditeurs aussi, ses collègues également. Elle emporte le dossier des livres qu'elle doit défendre. Des titres prévus depuis longtemps : *Papa n'aime pas ses chrysanthèmes*, un carnet de deuil fantaisiste, *Il était une caissière*, une critique sociale romancée et *Plaquette interdite*, une angoissante uchronie où la pilule contraceptive n'a pas été inventée. Et d'autres, imposés par Charles Chaloir. Assise à son bureau, elle entend ses collègues gémir dans l'open space. Elle poursuit sa lecture, découvre qu'elle est en charge d'une nouvelle collection illustrée qui a pour nom « Trésors de France ». Le premier opus sort en mars : *Histoire(s) de nos fromages*. Adélaïde relit environ trente fois le titre, puis regarde autour d'elle afin de s'assurer qu'il n'y a pas de caméras. Sa cheffe, présentement, pleure. Les auteurs historiques vont tous fuir la maison, les mails ne cessent de tomber. C'en est fini des ex-Goncourt et des nominés Médicis, elle doit s'occuper d'un footballeur et d'une ancienne ministre de Sarkozy. Vipère au groin récupère une nouvelle collection, elle aussi : « Résiliences ». *Des témoignages poignants de gens qui s'en sont sortis*, c'est écrit en toutes lettres. Elle a un rire nerveux qui lui déforme la bouche, à cause du bac + 5, des années Normale Sup, et de ses ambitions désormais saccagées. Elle fait beaucoup de peine à voir. Pour peu, Adélaïde l'appellerait Anne-Marie.

Adélaïde n'avoue pas à Clotilde, ce soir, que le corps de Chaloir lui a fait de l'effet. Elle ne lui dit pas non plus que depuis, elle se dégoûte. Elle a remarqué l'alliance à l'annulaire de Charles. Elle se dit que sa femme l'appelle peut-être Chacha et qu'ils vont au tennis, un pull sur les épaules. Elle se dit que sa femme est fière de son mari, un killer plein d'idées, capable de projets comme *Histoire(s) de nos fromages*. Adélaïde ne voit pas Clotilde en train de craquer, Clotilde qui à présent se retrouve sans éditeur. Un succès, pour Clotilde, c'est 6 000 exemplaires. Elle sait que c'est foutu au sein des grandes maisons, elle n'a pas assez de presse, a un déficit d'image et n'a aucun levier pour une négociation. Son unique solution, c'est un petit éditeur, comme à ses tout débuts. Il va de soi qu'ils ont fait faillite, ses éditeurs des tout débuts. Clotilde pense à un éditeur indépendant qu'elle estime, les éditions Humpty Dumpty. Adélaïde trouve l'idée bonne, assure qu'ils seront sûrement très heureux de l'accueillir. En vérité, elle n'en sait rien. Les éditions Humpty Dumpty sont tenues par un couple mystérieux, qu'elle ne connaît que par ouï-dire. Mais leur catalogue est sérieux. Et surtout pour eux, un succès, c'est autour de 5 000 exemplaires.

Dans la salle Rubempré, janvier est irritant et le ton de Charles Chaloir vraiment insupportable. Adélaïde ne jouit pas quand il fait la morale à cette pauvre Anne-Marie. Ce n'est pas de sa faute si son auteur refuse de donner des interviews, son livre c'est *En silence*, un récit autobiographique qui prône l'arrêt de la parole comme acte de résistance à la furie du monde, Chaloir le sait très bien, c'est sur la quatrième de couverture. Adélaïde suffoque dès que Charles lui parle, elle imagine sa langue fouillant le sexe de sa femme en rentrant du tennis. Elle voit l'index noueux qu'il dresse, tous les doigts de sa main s'enfoncer un à un dans le sexe de sa femme, l'édredon est moelleux, signé Laura Ashley. Adelaïde ne sait pas quoi faire de ces images. Parfois, en se masturbant, elle hésite un instant à invoquer le corps de Charles, qui ressemble beaucoup à celui de

Vladimir. S'impose alors la couverture d'*Histoire(s) de nos fromages*, et l'envie cesse immédiatement.

L'hiver accompagne le naufrage, le service de presse est sous Lexomil, Paul Sévrin en arrêt maladie. Adélaïde se confie chaque soir à Perdition. Elle en a terminé avec le corps des hommes, y compris ceux de Charles Chaloir et Vladimir. Elle relit dans son lit Valerie Solanas, le *SCUM Manifesto* : « Le sexe n'appartient pas au champ des relations humaines ; au contraire, c'est une expérience purement solitaire, non créative, une pure perte de temps. La femelle peut facilement, bien plus facilement qu'elle ne le croit, se conditionner à ne plus éprouver de désir sexuel, s'en dégager pour devenir totalement cool, cérébrale, libre de choisir des relations et des activités vraiment enrichissantes. » Adélaïde prend comme mantra « Le sexe est le refuge des décérébrés », et se dit que finalement, être célibataire est une chance. Elle puise dans ce texte force et pouvoir. Mais elle commence à s'ennuyer.

Février fait givrer les vitres autant que son âme. Adélaïde se dit : Le temps est comme figé. Chaque journée se ressemble, avec elle dorénavant son lot d'humiliations. Chaloir exige des couvertures de presse en forme de robe couleur de lune, compare dans chaque journal, sur chaque chaîne, dans chaque magazine, la place des autres maisons. Il dit annoncer la couleur, parle de réduction de personnel, utilise le terme d'incompétence. Adélaïde parfois pense : départ, démission. Puis aussitôt : loyer, charges, seule au monde.

Adélaïde s'ennuie et rien ne la motive. Si ce n'est Perdition, ce qui inquiète Judith. Judith a une enfant, mais elle n'a pas de chat. Elle ne peut pas comprendre, c'est ce que pense Hermeline. Hermeline a deux chats, Clotilde une chatte siamoise. Bérangère n'en a pas parce qu'elle est allergique. Adélaïde s'ennuie et ce sont ses amies qui se disent qu'il lui faut d'urgence un partenaire. Adélaïde refuse obstinément Tinder en dépit de l'insistance de Bérangère. Hermeline connaît peu d'hommes hétérosexuels hormis ses étudiants et une poignée de collègues atteints d'alopécie. Clotilde ne trouve déjà pas pour elle-même, pourtant elle se dit moins difficile, donc elle ne peut pas aider. Alors Judith attend que son mari et sa fille aillent chez ses beaux-parents, en Savoie, faire du ski. Et organise une fête dont elle a le secret. Pas une de ces soirées entre filles, une vraie fête, de celles qu'aucun convive n'est près d'oublier.

Lavabo

Il est 20 h 40, Adélaïde arrive et elle est apprêtée. Dans le salon de Judith, les meubles sont poussés. Judith a invité soixante-quatorze personnes, elle se dit que c'est trop et espère à haute voix moult désistements. Judith connaît vraiment énormément de gens, c'est grâce à la radio, elle interviewe chaque jour un artiste musical, elle connaît les agents et les attachés de presse. Elle a beaucoup de collègues, aussi. Judith est un bourreau de travail doublé d'une créature solaire, particulièrement appréciée. Avec Adélaïde, elles se sont rencontrées, il y a quinze ans, par des amis communs. Amis perdus de vue depuis par Adélaïde, ils ont fait des enfants et ils ne sortent plus. Judith les voit encore, avant, le dimanche au parc, maintenant le samedi au musée ou à l'occasion d'un goûter. Adelaïde a constaté qu'être une femme sans enfants, c'est se désocialiser. Ce soir ils seront nombreux à s'avérer parents et tous vont se lâcher. Adélaïde verra qu'être une femme sans enfants ça évite de vomir dans le couloir de Judith.

Il est 21 heures passées de 35 minutes et Judith est affairée sur le comptoir de la cuisine. Ils sont une petite vingtaine amassés dans le salon. On ne cesse de sonner à la porte et Adélaïde l'ouvre. Une idée de Judith. Qu'elle repère dès l'arrivée qui sera sa cible. Adélaïde détecte les gays toute seule, mais savoir si les hommes sont libres, ça, seule Judith le sait. Les plus jolis sont pris et aucun n'a un nez digne de celui de Vladimir.

À 22 h 23, Adélaïde tombe sur Martial, un guitariste de studio avec qui elle a couché il y a douze ans. Il est extrêmement drôle et a physiquement l'air d'un très jeune loup-garou. Elle informe Judith qu'elles ont zappé Martial quand elles listaient ses ex. Néanmoins elle hésite à remettre le couvert. Le souvenir de sa bite, pointue comme celle d'un chien, d'un rouge sombre, presque marron, couleur de foie de veau, y est pour quelque chose. Elle se repoudre le museau seule dans la salle de bains, puis écoute deux personnes échanger leur point de vue sur un film français qu'une troisième trouve minable. Elle n'a pas vu le film. Mais la troisième personne est de sexe masculin et a une allure folle. Aussi Adélaïde s'arrête-t-elle dans le couloir pour dire le plus grand mal du réalisateur. Elle sent qu'elle

marque des points, les autres partent, ils se présentent.
Je suis Adélaïde, une vieille amie de Judith. Je suis
Alban, le mari de Claire que Judith a interviewée dans
son émission, le mois dernier. Adélaïde n'attend pas
Claire, elle retourne dans la salle de bains.

Il est 23 h 15, et dans l'appartement ils sont une quarantaine. Bérangère s'est fait porter pâle et Hermeline
a annulé. Clotilde n'est pas venue parce qu'elle préfère
écrire. Adélaïde retrouve des amies moins intimes que
son premier cercle. Elle dit : Je suis célibataire, en vérité
je ne le vis pas bien. Ses copines la rassurent : elles sont
passées par là. La moyenne c'est trois ans pour trouver
un mec bien, et une fois qu'on l'a trouvé, on ne veut
plus le lâcher. Adélaïde se dit trois ans je ne vais pas
tenir et a envie de pleurer. Elle croise de très anciennes
connaissances, pas vues depuis neuf ans. L'une d'entre
elles lui plaît bien, un garçon torturé qui a gardé ses
cheveux et n'a pas pris de ventre. Il était déjà beau,
au milieu de la foule de quadras empâtés il s'impose
comme sublime. Il s'appelle Luc et ils discutent, ils font
le point sur leurs parcours, il est toujours dans la même
boîte mais s'est séparé de Marie-Laure. Ils échangent
sur le célibat, Luc lui non plus n'aime pas trop ça et
n'en n'avait pas l'habitude. Adélaïde propose une trace
et ils s'enferment dans les toilettes.

Il est minuit, ils sont cinquante, la densité est celle d'un club. Adélaïde parle avec Luc en se demandant s'il est possible de ramener un garçon chez elle, à cause du lit de 1,20 mètre et de l'entassement qui fait pitié. Elle s'interroge, où habite Luc, est-il du genre à la sauter et se barrer au petit déjeuner, ou à prendre au sérieux le début d'une histoire. Il lui cite soudain Spinoza. Bien sûr les choses sont sans rapport. Adélaïde ignore que Luc est fan de philo et que Marie-Laure l'a quitté afin de fuir ses grandes réflexions. Il enchaîne sur une phrase de Nietzsche, un concept hégélien et un argument de Kant. Adélaïde se dit patinage artistique, triple axel, double lutz et elle s'ennuie très fort. Les gens qui parlent par citations l'assomment, elle n'est jamais certaine qu'ils comprennent ce qu'ils disent. Pour autant quelque chose dans le sourire de Luc lui donne l'envie irrépressible de l'embrasser.

Il est minuit et demi, ils sont plus de soixante, contre les murs du couloir les gens sont compressés, ça fait tomber les cadres. Luc va s'occuper de la musique, Adélaïde rejoint Judith et un petit groupe qui squattent la salle de bains. Il est question de chanson française, de pop, de variétés, de France Gall et Véronique Sanson qui sont les héritières, les noms fusent, aussitôt ils sont atomisés. Tous s'accordent sur le cas de Juliette Armanet, érigée en prodige. Adélaïde l'adore, Judith veut l'écouter. Elles tendent l'oreille et présentement se diffuse de l'électro pointue : Luc doit toujours faire le DJ. Adélaïde traverse difficilement le couloir, fait la bise à des gens, papote négligemment, accepte un gin tonic, elle met plus d'un quart d'heure à atteindre le salon. Luc s'y tient de profil, au-dessus de l'ordinateur, penché et concentré, son nez est adorable, Adélaïde l'observe et elle le trouve charmant. Elle se poste à ses côtés, prête à faire sa requête. Luc a le casque sur les oreilles, évidemment il ne l'entend pas. Alors elle touche son bras et il sursaute si fort que l'ordinateur tombe. L'incident rompt le charme. Adélaïde penaude s'enferme dans les toilettes.

À 1 heure du matin, la musique a repris, des personnes sont parties, d'autres sont sur le départ. Ils sont une quarantaine. Adélaïde va voir Judith et la prévient : J'attaque. Judith dit : Il est chiant. Adélaïde répond : Oui mais tellement joli. Judith dit : Va, sois brave. Ajoute : Force et courage, puis la serre dans ses bras. Adélaïde encore traverse le long couloir pour se rendre dans le salon. Luc est en train de crier, un type veut prendre la main. Une fille dit : Y en a marre, sérieux, de l'électro. Luc ne bat pas en retraite. Adélaïde se dit qu'il doit être un peu caractériel. Elle va dans la cuisine se faire un gin tonic.

À 2 h 45, ils ne sont plus qu'une vingtaine. Affairée au-dessus de la tablette du lavabo, Judith dit à Adélaïde : Qu'est-ce que t'en as à foutre, tu ne vas pas l'épouser. Cette phrase est entendue par quatre autres personnes qui ne savent pas de qui elles parlent. Judith tait le nom de Luc mais explique au petit groupe qu'Adélaïde souffre depuis toujours d'épousite aiguë. Elle ne peut envisager de coucher avec un homme sans s'imaginer l'épouser. Adélaïde sait que c'est vrai, mais craint de passer pour une fille aux us et coutumes catholiques. Elle s'en défend vivement en saisissant sa paille. Elle est juste nunuche, ne peut s'empêcher de se projeter. Elle se demande ce faisant si Luc pourrait convenir. Se voit dans dix ans, un petit appartement rempli de livres des PUF. Si c'est sexy ou pas, elle n'arrive vrai-ment pas à trancher. Judith est exaltée et la pousse à l'action. Adélaïde traverse le couloir sans encombre. Tout le monde est dans le salon, ils ne sont plus que douze et il est 3 h 20.

Adélaïde cherche Luc. Il danse sur le tapis. Dessous, il y a le pentacle. Adélaïde se dit si je l'embrasse ici mon baiser sera béni. Elle hésite, adossée contre le mur à l'entrée du salon, l'aborder frontalement n'est pas une évidence, il vaudrait mieux qu'elle danse. Le problème, c'est que la musique, en ce moment, c'est du rap. Adélaïde ne sait pas comment faire, ensemble tous chantent les paroles, des paroles en anglais qu'elle ne reconnaît pas. Adélaïde se sent exclue et est excessivement déçue, elle retourne voir Judith dans le but de se plaindre. Assis sur le bord de la baignoire ou accoudés à la tablette du lavabo, Judith et ses amis sont en grande discussion. La littérature expérimentale est-elle morte, n'est-ce que le creux du cycle ou doit-on l'enterrer. Judith donne l'exemple de Clotilde. Une des filles a lu à la rentrée dernière *Les Prophétesses de la N12* : C'est tout le problème de l'expé, c'est chouette mais on n'y comprend rien. Judith est un peu mal à l'aise. Adélaïde hésite, l'hégémonie du genre roman, la modification, depuis qu'existent les séries, de l'imaginaire et de ses formes. Finalement elle se tait : elle n'est pas au travail. Elle dégaine le pochon et demande qui en veut.

4 heures du mat, quelqu'un dans le salon vient de lancer *Chagrin d'amour*. Adélaïde sait faire, elle se dandine soudain et cherche Luc des yeux. Ils ne sont plus que sept, des couples se sont formés. Face à Adélaïde se tient Luc mais entre eux il y a une jeune fille blonde. Elle est jeune et jolie et en train de l'embrasser.

À 5 h 30, Adélaïde se dit, avachie dans le taxi : Je ne suis pas vexée. À six heures dans son lit : C'était une bonne soirée. Elle s'endormira à midi, rapport aux stupéfiants pas encore dissipés. Entre-temps elle pensera : Je vais finir mes jours seule avec Vladimir. Perdition ronronnera et durant quelques heures son cœur sera guéri. Son sommeil sera sans rêves, elle l'aura mérité.

J'ai demandé à la lune

Salon de Judith. Le tapis est tiré, le pentacle apparent, le chaudron trône au centre. Adélaïde, Judith, Bérangère, Hermeline et Clotilde en tenue de cérémonie.

ADÉLAÏDE

L'air est à l'Est.

BÉRANGÈRE

L'eau est à l'Ouest.

JUDITH

Le feu au Sud.

HERMELINE

La terre au Nord.

CLOTILDE

Au milieu, les esprits de nos invocations.

ADÉLAÏDE

J'appelle Héra.

BÉRANGÈRE

J'appelle Hestia.

JUDITH

J'appelle Athéna.

HERMELINE

J'appelle Artémis.

CLOTILDE

J'appelle Déméter.

ADÉLAÏDE

J'appelle Aphrodite.

BÉRANGÈRE

J'appelle Lilith.

CLOTILDE

C'est le 21 mars, le sabbat d'Ostara, et la lune est montante. Bénies soient nos déesses en ce jour de requête. Nous sommes venues à vous pour aider notre sœur.

JUDITH, *à Adélaïde*

Vas-y.

ADÉLAÏDE

Je me présente à vous.

HERMELINE, *à Bérangère*

Passe-moi la sauge.

ADÉLAÏDE

Je me présente à vous, je demande une rencontre.

JUDITH

Sois plus précise.

CLOTILDE

Avec un verbe d'action.

HERMELINE

Un verbe d'action, j'attire, j'obtiens.

ADÉLAÏDE

J'attire un homme qui me convient.

BÉRANGÈRE

Décris-le.

HERMELINE

Si t'es trop vague, ça ne marchera pas.

ADÉLAÏDE

J'attire un homme drôle, cultivé, intelligent, qui possède un appartement.

CLOTILDE

Continue.

ADÉLAÏDE

J'attire un homme qui a les mêmes goûts que moi. Un homme accompli dans son travail. Un homme sans enfants. Un homme qui serait amoureux de moi.

HERMELINE, *à Judith*

Où t'as foutu les yeux de triton ?

CLOTILDE

Chut !

HERMELINE

Ça ne marchera pas sans yeux de triton.

CLOTILDE

Pour que ça marche, faudrait déjà que sa demande soit claire.

ADÉLAÏDE

C'est pas clair, un homme qui serait amoureux de moi ?

CLOTILDE

Ça peut donner un psychopathe érotomane. N'oublie pas que demander, c'est toujours obtenir. Prends bien garde à ce que tu demandes. Méfie-toi de ton vœu parce qu'il va s'exaucer.

ADÉLAÏDE

Un homme sociable, qui a plein d'amis. Un homme qui me sort, va à des fêtes. Un homme joyeux, qui fait la fête. Attentif, qui prend soin de moi.

BÉRANGÈRE

C'est tout ?

ADÉLAÏDE

Je crois. Oui.

JUDITH

T'es sûre ?

ADÉLAÏDE

Bah oui.

JUDITH, *à Hermeline*

Ajoute le sang de rat, c'est fini.

HERMELINE

Déjà ?

JUDITH

Elle a fait sa demande comme une truffe, qu'est-ce que tu veux que je te dise.

CLOTILDE

J'en appelle aux déesses, qu'elles exaucent notre sœur.

ADÉLAÏDE

L'air est à l'Est.

BÉRANGÈRE

L'eau est à l'Ouest.

JUDITH

Le feu au Sud.

HERMELINE

La terre au Nord.

ADÉLAÏDE

Ça va marcher dans combien de temps ?

CLOTILDE

Une lunaison. Mais t'as merdé.

BÉRANGÈRE

T'as rien précisé sur le physique.

JUDITH

Ni vraiment sur le caractère.

HERMELINE

T'es restée vague, il faut avouer.

CLOTILDE

Et au niveau sexualité, tu n'as rien demandé du tout.

ADÉLAÏDE

La sexualité, on s'en fout, c'est vraiment pas le plus important.

JUDITH

Aidez-moi à ranger le chaudron, François et la petite seront de retour dans une heure.

Martin

Trois jours plus tard Adélaïde fête son anniversaire. Chaque heure se fera plus lourde : elle a quarante-sept ans. Ce soir-là la lune est discrète et le chagrin d'Adélaïde menace de faire son grand retour. Hermeline lui conseille de faire confiance aux déesses, le rituel marche toujours. Secrètement elle s'inquiète de ce qu'Adélaïde va maintenant obtenir.

Avril s'éveille, Adélaïde met ses espoirs dans le printemps. Son quotidien est un peu morne et l'assèche intellectuellement. Aux éditions David Séchard, elle gère des livres sans intérêt, ne rencontre plus de vrais auteurs, se fait tyranniser par Charles, pour qui elle n'éprouve plus que du dégoût et souvent des envies de meurtre qu'elle visualise à la cantine ; à présent elle mange à la cantine, c'en est fini des notes de frais. Elle ne s'investit plus du tout, ne parle plus aux mêmes journalistes, s'ennuie épouvantablement.

Charles Chaloir lui impose de suivre attentivement le lancement de la collection « Trésors de France », d'accompagner partout l'auteur d'*Histoire(s) de nos fromages*, y compris dans les librairies qui sont très peu à l'accueillir, ce qui rend Charles fou furieux. La chargée des relations libraires a été licenciée, le nouveau catalogue n'intéresse que la FNAC, elle en a payé le prix. Adélaïde redoute de perdre aussi sa place, la compression de personnel est à l'ordre du jour. Elle regarde les annonces pour changer de travail, et bien sûr se renseigne. Aucun poste ne se libère. Adélaïde se dit que sa vie prend une forme qui ne lui convient pas et que si ça continue, elle aura tout raté.

Aujourd'hui l'auteur d'*Histoire(s) de nos fromages* présente son ouvrage dans un bar à vin, sur une idée d'Adélaïde qui doit trouver des solutions. La clientèle n'écoute pas trop et attend la dégustation. Parmi elle, un homme fait des blagues. Il n'est pas grand et plutôt gros, mais semble extrêmement sympathique. Il a remarqué Adélaïde, et c'est elle qu'il cherche à faire rire. Les plateaux de fromages circulent. L'homme se rapproche d'Adélaïde qui préfère refuser le maroilles. Il tente une saillie drolatique et enchaîne sur un compliment. Le cœur d'Adélaïde s'emballe immédiatement. Un homme est venu à elle, et c'est sûr, il la drague.

L'homme se présente : Martin. Il a la cinquantaine et une voix agréable. Il réalise des films documentaires et surtout ne porte pas de baskets. Adélaïde ne supporte pas les gens de son âge en baskets, elle voit ça comme le signe d'un déni de l'ère adulte et d'un manque de goût patenté. Martin est très bien habillé, chemise APC, jean gris parfaitement coupé et bottines noires impeccables. Il lui propose de boire un verre ailleurs quand la présentation s'achève.

Martin est drôle, cultivé, intelligent. Il possède un appartement situé dans le 14e arrondissement de Paris, aime Beckett autant que New Order. Son tout nouveau documentaire, *Les Derniers Jours du Val Fleuri*, se déroule dans une cité amenée à être rasée, et a reçu des prix. Martin n'a pas d'enfants, mais a beaucoup d'amis. Il l'invite à une fête qui se tient ce samedi. Adélaïde accepte, il règle l'addition et craint qu'elle ne prenne froid, elle est très peu couverte et le temps s'est rafraîchi. Adélaïde de retour chez elle est dans un état d'euphorie. Elle appelle Hermeline, il est plus de minuit et la conversation durera jusqu'à 2 heures du matin.

Durant les jours qui suivent, la pression au bureau glisse sur Adélaïde. Ernest Block la harcèle, il veut la quatrième d'un grand quotidien pour un de ses auteurs, un chanteur des années 70 qui a triomphé de son cancer. Anne-Marie Bertillon étant en arrêt maladie, Adélaïde et ses collègues doivent récupérer ses dossiers, dont la collection « Résiliences ». Parce qu'elle a déjà en charge « Trésors de France », Adélaïde échappe de peu à la promotion de *Plus forte que la douleur*, le témoignage de Martine C., une orpheline handicapée atteinte d'endométriose. Mais elle hérite du premier roman d'une présentatrice de télé particulièrement exigeante, chaque jour au téléphone elle doit lui faire un point. Son roman est très mauvais, mais ses amis nombreux, aussi la couverture presse se fait-elle impressionnante.

Adélaïde pense à Martin, son cœur se gonfle et elle soupire. Elle est à la brasserie avec ses quatre amies qui toutes se félicitent : le rituel a fonctionné, bientôt elle sera casée, les déesses veillent au grain. Seule Clotilde est perplexe. Elle dit : Attends de voir. Et : Ne t'emballe pas trop vite. Bérangère rétorque qu'elle est envieuse, Judith qu'elle s'inquiète tout le temps, seule Hermeline lui donne raison. Adélaïde n'en a que faire : samedi, c'est évident, elle embrassera un homme, et cet homme si ça se trouve fera un parfait mari. Les filles sont affligées, Adélaïde devrait avec le temps comprendre que l'épousite aiguë relève de la névrose, qu'à se projeter immédiatement dans un schéma sécurisant, elle s'interdit de vivre normalement le début de ses histoires d'amour. Adélaïde n'entend qu'amour, et les paroles de ses amies sont reléguées en fond sonore. Adélaïde pense à Martin, ses traits, elle ne s'en souvient pas bien, mais son cœur déjà crie qu'il ne peut être que l'élu. Dès lors elle n'invoque plus Vladimir. Elle répète le prénom de ce presque inconnu, il a le titre d'une chanson qui dans son cerveau passe en boucle.

Lorsque samedi arrive, le cœur d'Adélaïde a quinze ans et demi. Elle se prépare longtemps et se parfume un peu trop. Elle rejoint Martin dans un café, c'est là qu'ils doivent se retrouver avant d'aller ensemble à une soirée de fin de tournage organisée par un des nombreux amis de Martin. Adélaïde s'étonne une fois assise en face. À trop penser à lui, à tant l'imaginer, il n'a pas le même visage. Adélaïde pourrait, à cet instant précis, se dire : Ce n'est pas un homme que je vois, c'est juste sa fonction. Ce qui aurait pour conséquence de lui faire prendre conscience que remplir le vide n'est pas de l'amour. Mais le cœur d'Adélaïde, épuisé de solitude, réclame l'abandon de toute raison. Au deuxième verre de vin, elle visualise leurs noces, au moins deux cents personnes vu le monde qu'il connaît. Pendant ce temps l'échange est fluide, le mode séduction officiel. Ils ont beaucoup de goûts en commun, sont politiquement alignés, se font rire de façon spontanée. Martin a vraiment plein d'anecdotes de tournages, Adélaïde des tonnes d'histoires sur des écrivains très connus qui se comportent comme des mabouls. Ils évoquent leur enfance, et surtout leur adolescence, période culturelle importante, puisque les deux sont fans de synthé pop et de new wave. Ils ne vont pas à la fête. Ils restent dans le café jusqu'à la fermeture.

Devant la station de taxis, Martin ne l'embrasse pas, il lui fait juste la bise en lui disant : Merci pour cette très belle soirée. Adélaïde est contrariée, elle couche rarement le premier soir, mais elle s'était rasé les jambes, la première fois depuis des mois, une opération fastidieuse dans la minuscule douche en plastique. Elle se dit que c'est bien, que cet homme sait se tenir, que c'est beaucoup mieux comme ça, mais elle n'y croit pas trop. Pendant qu'elle se rasait les jambes et rafraîchissait son pubis, elle avait dans la tête des scènes pornographiques. Une fois rentrée chez elle, elle envoie un message de bonne nuit à Martin. Il n'y répondra pas, pour des raisons tactiques. Adélaïde tombe dans le panneau, toute la nuit s'interroge, son Martin, elle y tient et elle veut l'obtenir.

Ils s'embrasseront la semaine suivante, dans le salon de Martin, sur un morceau des Smiths. Le cœur d'Adélaïde se remplira d'ivresse, et d'être prise dans des bras, Adélaïde ressentira une forme de soulagement. Ils iront dans la chambre où debout, devant le lit, Martin se déshabillera en pliant soigneusement ses affaires sur une chaise. Adélaïde sera perturbée de devoir enlever sa culotte seule. Elle avait prévu les ébats, mis une robe à boutons de pression. Elle se glissera, nue, sous les draps, happée par un léger malaise, quelque chose de l'ordre du trac. La chaleur du corps de Martin l'apaisera instantanément, elle s'y lovera délicieusement, le flirt poussé durera longtemps. Tellement longtemps qu'Adélaïde en aura un petit peu ras-le-bol et finira par quémander la venue de la pénétration. Martin n'est pas avantagé, Adélaïde sur le canapé, déconfite, l'avait remarqué, mais soudain le voilà qui bande mou. Adélaïde est dépitée, évidemment elle est frustrée, mais chuchote à Martin que c'est vraiment pas grave, que les premières fois ça arrive. Adélaïde jouira sous les doigts de Martin et ça lui suffira après ces dix mois d'abstinence. Elle aura le teint frais et sera d'excellente humeur.

Le printemps mange avril, la lumière est très douce et la température merveilleusement clémente grâce au réchauffement climatique. Qu'une espèce sur deux meure, Adélaïde s'en fout. Que ce soit la fin du monde, elle y est préparée. Adélaïde n'a pas d'enfants donc aucune terreur de l'après. Elle aime que ce printemps soit chaud, ça lui rappelle le mois de juin de sa classe de troisième. Le cœur d'Adélaïde est vivant, s'épanouit. Le crâne d'Adélaïde ne produit plus de pensée, son cerveau lui aussi a quinze ans et demi, n'y résonne désormais que le prénom Martin.

Partenaire particulier

Le mois de mai est béni, Adélaïde chaque jour remercie les déesses. Elle a un partenaire, elle peut dire : mon copain. Et cela la soulage autant que ça la rassure. Martin est plus que charmant, la première fois qu'il vient chez elle, c'est avec un bouquet de roses aussi somptueux que délicat. Perdition fait tomber le vase. Martin n'avouera pas qu'il déteste les chats. Adélaïde le comprend plus tard, s'en plaint auprès des filles, Hermeline lui répond : Quand tu as fait ta demande, tu ne l'as pas précisé. Adélaïde s'en veut beaucoup. Pour l'instant, moins que plus tard. Elle se dit qu'après tout, Martin n'aime pas les chats mais il n'a pas d'enfants, on ne peut pas tout avoir.

Les événements viennent par série, Adélaïde est dans une phase où tout lui sourit insolemment. Elle va pouvoir changer de travail, quitter les éditions David Séchard, ne plus jamais se plier aux ordres de Charles

Chaloir. Ne plus subir Ernest Block, ni prendre des nouvelles d'Anne-Marie, actuellement en clinique privée pour dépression. Clotilde lui a trouvé un poste aux éditions Humpty Dumpty, où elle publiera son prochain livre dès qu'elle l'aura terminé. Le salaire est moins élevé et elle sera toute seule. Elle aura à gérer la presse autant que les relations avec les libraires.

Les éditions Humpty Dumpty jouissent dans le milieu littéraire d'une excellente réputation, mais restent totalement inconnues aux yeux du grand public. Le couple mystérieux qui les dirige, Catherine Berlioz et Fabienne Shen ne fréquente aucun journaliste. Elles étaient proches des situationnistes et ont la société du spectacle en horreur. Adélaïde a carte blanche pour qu'elles ne se salissent pas les mains, mais il faudra des résultats. Adélaïde est astucieuse, elle prépare déjà sa rentrée en prévenant tous les critiques de son changement de maison à venir.

Paris en juin n'est plus qu'une fête où Adélaïde se déploie. Martin la sort énormément, ils ont trois soirées par semaine, des anniversaires en banlieue, une crémaillère à la campagne. Adélaïde est très heureuse, elle peut varier souvent de tenue, elle se vautre dans la coquetterie, se dit qu'Aphrodite est revenue. Elle s'entend bien avec Martin, il ne bande pas plus pour autant, Adélaïde s'en accommode et surtout n'en parle à personne puisqu'elle pense : Ça va passer. D'ailleurs une fois sur trois, ça passe. Le courant est alternatif, Adélaïde se dit patience, cet homme doit être mis en confiance, avec le temps, ça va aller.

Juillet est étouffant mais dans le salon de Martin la fraîcheur est gardée. Ils s'installent tous les week-ends dans son appartement, Perdition est confiée à Clotilde qui l'adore. Adélaïde observe complètement fascinée l'homme dans son habitacle, le rythme de Martin, ses petites habitudes. Martin est dans l'excès, il boit se gave se drogue, passant de l'un à l'autre et sans discontinuer. Adélaïde se dit : Je suis la femme de l'ogre, et cette phrase lui procure des frissons de plaisir. Le corps de Martin lui fait penser à Dionysos, elle se sent décadente, prête aux grandes bacchanales. Mais hélas la levrette n'excède pas trente secondes.

Adélaïde a l'habitude de vivre avec ses partenaires. Cela ne fait que quatre mois, mais déjà, elle se projette. L'appartement de Martin est grand et le quartier très agréable. Ils font les courses ensemble, se préparent à dîner. Adélaïde se voit bien vivre avec Martin, mais elle a oublié aussi de le demander, alors même si elle est certaine que Martin est l'élu que lui envoient les déesses, elle est bien ennuyée. Martin n'a jamais habité avec personne, il est contre le partage de la vie quotidienne.

Bérangère pense que c'est une bonne chose, ça la soigne de son épousite aiguë, ça la maintient autonome. Judith est bien plus circonspecte. Elle comprend Adélaïde, elle a besoin de la vie de couple, ça lui apporte un équilibre, le partage de la vie quotidienne. Adélaïde doit être ancrée, sinon elle flotte et on la perd, Judith est persuadée que Martin ne fera pas du tout l'affaire. Hermeline n'aime pas trop Martin, même si elle ne l'a vu qu'un quart d'heure. Martin se revendique féministe, mais dit : Ma petite Adélaïde. Martin est un paternaliste, il est bien trop hétéro-beauf, Adélaïde ne tiendra pas. Judith et Hermeline font silence de leurs craintes. Au téléphone elles disent seulement : Tu le connais peu. Vas-y doucement. Clotilde, elle, pousse Adélaïde à passer le plus de jours possible avec Martin hors de Paris, à organiser des week-ends. Son objectif secret étant de garder le chat.

Adélaïde prend mentalement des murs de Martin les mesures. Visualise les penderies qu'il va falloir monter, anticipe les dangers domestiques potentiels pour la jeune Perdition. La machine à laver qui s'ouvre sur le dessus et est toujours ouverte, le rebord des fenêtres, la rambarde du balcon. Elle sait que dans sa tête ça va beaucoup trop vite, mais son cœur a toujours connu l'aménagement comme un stade naturel. Elle se dit que Martin ne veut pas vieillir seul et comme il est malin il va s'y atteler tout de suite. Elle se dit que dans un an, sa vie aura changé.

Le cœur d'Adélaïde bat au rythme de titres existants en 45 tours. L'appartement de Martin, un voyage dans le passé, les années 80 jusque dans la déco. Adélaïde y déambule dans une robe léopard vintage. Elle s'est fait un chignon très haut et danse pieds nus avec Martin. Ils boivent du champagne dans lequel Martin laisse couler une framboise, mangent de très bons fromages, sniffent de la cocaïne d'excellente qualité. Évidemment, c'est les vacances, Martin n'a pas de film en cours, Adélaïde est en congé, elle a su négocier départ et arrivée, pour autant elle aimerait vraiment que ces moments-là perdurent à la rentrée. Adélaïde depuis longtemps ne s'était autant amusée. Elle repense à l'année dernière, en pleine rupture avec Élias, se dit que ça en valait la peine et qu'elle s'en est très bien sortie.

Août a un point de côté. Martin s'est mis en pause, il n'a aucune idée de son prochain projet, il veut prendre son temps et bien se reposer. Les soirées se répètent, séries et canapé. Adélaïde ne pense plus luxe came et volupté. Elle se dit qu'elle a hâte de démarrer son nouveau travail, se divertir autant finit par la lasser. Bérangère est sévère : elle ne sait pas ce qu'elle veut. Hermeline persévère : à terme, cet homme sonne creux. Clotilde ne s'en mêle pas, elle tient à garder le chat. Judith demande à François si un de ses copains ne serait pas célibataire.

Adélaïde ne sait plus du tout où elle en est. Dans le salon Martin lit, Adélaïde s'ennuie, elle veut rentrer chez elle. Martin ne la retient pas. Dans le métro son cœur saigne et imbibe sa poitrine, ça fait une auréole brunâtre sur sa robe. Elle se rend chez Clotilde pour récupérer Perdition. Elle dit : Je ne comprends pas, ça devient compliqué. Clotilde lui conseille de partir trois jours au vert, afin de méditer, dans le coven d'une sorcière de ses amies. C'est dans une grande maison où elle fait chambre d'hôtes, au milieu d'une forêt au-delà de Bordeaux. Adélaïde hésite, mais préfère être chez elle, seule avec Perdition. Clotilde n'insiste pas, elle sait que c'est mieux pour elle. Elle a son propre chat, s'en contente aussitôt.

Martin a des élans et des rétractations sur le plan émotionnel qui ne sont pas sans rappeler, songe Adélaïde, ses postures érectiles. Elle se demande s'il est possible que Martin soit névrosé jusqu'au bout de la bite. Il dit qu'il pense à elle absolument tout le temps mais ne l'appelle jamais, répond d'une demi-ligne à chacun de ses mails, la complimente pour à l'instant même la déstabiliser d'une question incongrue sur la couleur de ses cernes ou les plis de son cou, qu'il trouve profonds, étranges, comme si à la naissance le cordon ombilical avait été serré autour. Adélaïde se dit que Martin est cinglé. L'étant pas mal elle-même, elle accepte le deal. Mais s'en veut de plus en plus d'avoir bâclé sa demande aux déesses.

Août enfin agonise. Adélaïde écoute sa playlist de l'an dernier, celle qui s'appelle *New Life*, elle se repasse le film, se souvient parfaitement du vertige intérieur. Elle se demande aussi comment va Vladimir, cela fait si longtemps qu'elle ne l'a pas appelé, son visage a changé, ses traits sont un peu flous. Adélaïde ce soir se sent extrêmement forte, recentrée, reconstruite. Elle a un petit ami, certes dysfonctionnel, mais qu'elle aime bien quand même. Et surtout demain matin, elle commence son nouveau travail aux éditions Humpty Dumpty.

Comme d'habitude

Septembre se profile sous ses plus beaux atours, la rentrée littéraire n'est pas, aux éditions Humpty Dumpty, porteuse de traumatismes comme chez David Séchard. Il arrive que la maison remporte parfois un prix, un Décembre, un Wepler, ou même un Médicis, mais ici, c'est tranquille, on ne part pas à la guerre. Catherine et Fabienne savent que leur catalogue est de qualité, elles défendent la littérature, ne vivent que pour les livres et dans les manuscrits, n'écoutent que France Culture, ne lisent qu'une certaine presse, pointue et militante, qui toujours les soutient. Le challenge, pour Adélaïde, c'est de faire d'Humpty Dumpty une maison remarquée, et pas que remarquable.

Cette rentrée, il y a trois livres. Deux issus du domaine étranger : *Soleil couchant, un jour de gloire* de Corneliu Popescu, auteur roumain nobelisable, et *Des mouches plein les oreilles* de la romancière argentine Teresa Flor

Bianci ; et un du domaine français : *Ma tête en plein hiver*, le deuxième roman du jeune Bastien Merlot, un petit bijou de stylistique qui relate une dépression lourde. Adélaïde a été très impressionnée, elle souhaite ardemment l'imposer, en fait une affaire personnelle. Elle s'est reconnue dans ce roman, sait qu'il touche à l'universel.

Adélaïde est astucieuse, un nouveau festival, nommé *Plaisir de lire*, se tient à la mi-septembre. Son objectif est de promouvoir auprès du grand public la rentrée littéraire. Adélaïde a réussi à y faire programmer Bastien. Il a trente ans, est discret et sous Seroplex. Il est professeur d'arts plastiques à mi-temps dans un collège de banlieue. Ce n'est pas son premier salon et c'est sûrement pour ça qu'il refuse d'y aller. Adélaïde est très surprise et au fond, un chouïa vexée. Elle mettra trois jours à le convaincre et ira le chercher chez lui. Elle attendra d'être dans le train pour l'informer de son planning : lecture dans le hall B, rencontre sous le chapiteau, signature sur le stand du libraire, dîner collectif à 20 heures. Elle a pris avec elle un tube de Lexomil.

Les enceintes grésillent et le micro sature. Bastien, debout sur une petite scène, lit des extraits de *Ma tête en plein hiver*. Son ton est monocorde, sa voix mal assurée. Chaque ligne prononcée réveille en lui les affres de ce qu'il a traversé. Et surtout il se sent totalement impudique, lui qui, si réservé, ne se confie à personne, le voilà qui se livre à de parfaits inconnus. Il éprouve de la honte, et cette honte lui grignote soudain tout l'intérieur. Dans le corps de Bastien, c'est un effondrement. Il continue à lire sans trop savoir comment, s'étonne de ce prodige : ce n'est plus lui aux commandes. Ses yeux embrassent les phrases, et sa bouche les articule. Lui se tient à côté, à côté de son corps, comme si la honte remplissait le tout entier au point d'en exclure son esprit.

Un petit groupe est sagement assis, certains semblent attentifs, une vieille dame prend des notes, une autre hoche régulièrement la tête. L'allée centrale n'est pas très loin, dégorgeant moult badauds et parfois des poussettes. Alors que Bastien Merlot prononce le mot suicide, deux jeunes femmes se lèvent bruyamment. Elles ricanent en disant : Nan mais le mec laisse tomber. Adélaïde ne peut rien faire, Bastien est déstabilisé. Il bute sur des mots simples, se répète, saute une ligne, boit de l'eau en tremblant et a envie de mourir. Une annonce relative à une Renault Scénic extrêmement mal garée achèvera son calvaire.

Adélaïde rassure Bastien, il a été très bien, les conditions sont dures et elle compte s'en plaindre aux organisateurs. Ils ne peuvent pas faire de break à la petite buvette, mais se partagent un Lexomil. Adélaïde entraîne Bastien dans son enclos à signatures. Le dispositif est immuable, l'auteur coincé derrière sa table attend le client autant qu'il le redoute. L'écrivain est captif, assis face à des gens qui eux se tiennent debout. Un peu comme à l'école, il ne peut faire qu'écouter. Moins l'auteur est connu, plus il doit écouter. Des gens viennent à lui juste pour passer le temps et se venger de leur vie. Ainsi Bastien entend : Votre voisin a du monde et vous vous ne vendez rien, alors je vous en prends un, c'est ma BA de la semaine. Et : C'est pas gai, votre livre, ça ne peut pas faire envie. Et aussi : Vous touchez combien par bouquin ? Tenez, deux euros, mais gardez le livre.

Adélaïde récupère Bastien dans un état proche de l'Ohio, ce qui ne l'arrange pas tellement, la rencontre, intitulée *Des maux aux mots*, a lieu dans un quart d'heure. Sous la langue de Bastien fond une barrette de Lexomil. Il partage le plateau avec Clara Stein, une jeune autrice bipolaire qui raconte avec humour son internement dans *Zinzinland*, une autofiction de quatre cents pages. Le modérateur est sous son charme et Clara est en phase maniaque, ce qui la rend plus que volubile. Bastien répond par oui ou non et n'a pas très envie de paraphraser son livre. Surtout pas le chapitre où il saute dans la Seine.

Adélaïde offre à Bastien deux biscuits et un café chaud. Elle l'observe avec compassion, sa souffrance lui comprime la poitrine. Elle le force doucement à reprendre le chemin de son enclos, puis, comme c'est le calme plat, l'emmène se reposer à l'hôtel et vient le rechercher pour le dîner. Le repas a lieu au restaurant, les participants sont nombreux, il y a beaucoup de tables de six. Adélaïde et Bastien s'installent donc avec quatre autres personnes, trois auteurs confirmés et un attaché de presse. Ils parlent des prix littéraires, de ceux de l'année dernière et de ceux à venir. Bastien est au supplice, mais le bromazépam l'ayant violemment détendu, de l'extérieur il est serein. Il répète à Adélaïde : Maintenant que c'est fini, ça va bien. Aussi le croit-elle. L'attaché de presse est sympathique, et Bastien semble sécurisé, Adélaïde se dit : Je vais pouvoir profiter du dîner.

Les entrées sont servies, un quatrième pichet de blanc apporté. Adélaïde échange avec l'attaché de presse, leur maison, leur parcours. Tous deux évoquent la rentrée des éditions David Séchard, dont la pierre angulaire consiste en la correspondance posthume de Johnny Hallyday. Les auteurs abordent la question des jurys qui ne se renouvellent pas. Dans l'estomac de Bastien, les crevettes avocat se battent avec les Lexomil. Le saumon est servi, le sixième pichet de blanc vidé. Les trois auteurs discutent : doit-on distinguer l'homme de l'œuvre, à combien se montent leurs à-valoir, à combien s'est vendu leur dernier livre, à partir de combien d'exemplaires vendus peut-on vraiment se dire écrivain. Bastien vomira au dessert. Adélaïde devant le coucher, elle n'ira pas danser ce soir dans la discothèque du village où se déroule le festival. Elle loupera quelques anecdotes, mais aura un bon temps de sommeil.

Les locaux des éditions Humpty Dumpty sont dans un vieil immeuble, et constitués de minuscules cellules. Adélaïde parfois regrette son open space, même si elle est au calme. Son quotidien s'avère bien plus rude que prévu. Obtenir un papier pour ses livres étrangers relève de la gageure. Le ton très décalé de Teresa Flor Bianci lui permet de la placer comme objet littéraire non identifié auprès de la presse branchée, mais elle ne peut faire plus. Populariser Corneliu Popescu nécessiterait un buzz. Adélaïde un soir où la lune est bien pleine s'essaie à un rituel en cachette et toute seule. Elle demande : Que son nom résonne sur les réseaux. Le lendemain un magazine sort une enquête, du temps de sa jeunesse Corneliu Popescu était proche du pouvoir, s'avérant le protégé de Madame Ceausescu.

Septembre s'emballe un peu. Adélaïde se demande si ce n'est pas le moment de changer radicalement de travail, de mode de vie. De plus en plus de monde se réorganise au cours de la quarantaine, Adélaïde se dit : Ouvrir une librairie. Puis se rappelle qu'elle ne possède rien et n'aura pas de prêt bancaire. Adélaïde déteste la nature, la campagne, son projet existentiel ne peut qu'être à la ville. Adélaïde, déjà, a habité ailleurs. Elle s'accroche à Paris parce que c'est le seul endroit où les gens marchent vite en étant très bien habillés.

Adélaïde songe aux septembres passés, celui de l'an dernier tout particulièrement. Elle se dit que le vide est vraiment derrière elle. Elle ne voit Martin que le week-end, mais les soirs de semaine le temps n'est pas flottant. Elle parle avec Martin, elle parle de Martin, elle pense avoir tué à mains nues la solitude. Ce soir-là, quand elle s'endort, le subconscient d'Adélaïde sécrète quelques images dont elle se souviendra. Sur la piste aux étoiles, elle est Madame Loyale et lance soudain le premier numéro. Bastien est minuscule, la tête coiffée d'une toque, il fait du monocycle. Il a une queue de singe, elle l'assoit et le ceinture sur une chaise haute, lui décalotte le crâne et plonge une grande fourchette dans son cerveau à vif.

Adélaïde Berthel, c'est quelqu'un comme tout le monde. Le jour, elle fait son travail mais elle culpabilise.

La reine des pommes

Alors qu'ils marchent dans la rue, Martin dit à Adélaïde qu'en cas d'attaque zombie, il la sacrifiera. Il trouve que c'est logique parce qu'elle ne court pas vite, ça le ralentirait. Adélaïde ne sait pas vraiment ce qui soudain la perturbe le plus, que Martin spontanément envisage l'éventualité d'une réelle attaque de zombies, qu'il la jette en pâture ou qu'il la connaisse mal. Elle s'en tirerait mieux que lui, elle ne court pas vite, mais serait plus rapide que Martin, plus vieux, plus gras, moins énergique. Et surtout elle a un vrai instinct de survie. Qu'il ne voie pas ça en elle l'a plongée dans l'abîme. Depuis, elle se méfie et elle l'aime beaucoup moins.

Il lui confie plus tard qu'il est effrayé à l'idée qu'elle puisse aspirer à venir habiter chez lui, dans son appartement où il y aurait la place, et qu'il est heureux qu'elle n'aborde pas le sujet. Adélaïde ne sait pas ce qui la violente le plus. La tournure de la phrase, qu'il se refuse à faire couple, son étrange égoïsme, ou qu'elle doive faire le deuil de toutes ses projections. Elle le rejoint maintenant en se disant à quoi bon. Elle ne l'épousera pas, jamais, ce n'est pas le bon, celui avec qui elle passera sa seconde partie de vie. C'est très clairement l'automne, la saison des amours est morte et enterrée.

Adélaïde le sent, de plus en plus de choses en Martin l'insupportent, sa façon de s'étendre, de se répandre dans l'espace public, de glapir de contentement, de faire des bruits de bouche, elle ne trouve plus ça drôle mais parfaitement vulgaire, au point d'en être indisposée. Et il lui a fait honte, aussi, au restaurant. Elle ne s'en remet pas depuis la fin de l'été. Un restaurant très chic, connu sur la rive gauche. Il est venu en sandales, il portait des sandales, Adélaïde encore se raidit sous la stupeur. Il a bien sûr glapi, fait un tas de bruits de bouche et une blague au serveur. Comme il faisait très chaud sa chemisette pleine de sueur avait eu le temps de sécher, autour du col et dans le dos elle était zébrée de traces blanches que le sel avait déposées. Adélaïde a pensé très fort au mot déchéance en finissant ses profiteroles. La voilà qui sortait son grand-père de la campagne. Elle avait l'impression d'être projetée dans trente ans, c'en était terminé du règne de l'adolescence, Martin sentait l'Ehpad à plein nez, ce soir-là. C'était il y a plus de cinq semaines, mais depuis l'odeur ne la quitte pas.

Depuis la rentrée Adélaïde perçoit tous les défauts de Martin, qui sont objectivement nombreux. Bérangère avait donc raison, les hommes disponibles sur le marché sont tous atteints d'un vice de forme. Martin, lui, n'a pas de filtre. Il dit absolument tout ce qu'il pense, sait et ressent. Ça explique les zombies, et ça n'a pas de limites. Adélaïde se dit que ce n'est plus possible. Quand elle pense au printemps, il lui paraît très loin, et surtout animé par d'autres personnages. Adélaïde le confie à Hermeline un soir : le printemps et l'été étaient sous le coup d'un charme, elles ont fait de la magie et désormais le charme est rompu. Hermeline est plus sage, elle lui dit qu'au contraire, ce qu'elle avait demandé, elle l'a bien obtenu. Simplement, sa demande, elle l'avait faite de travers. Méfie-toi de ton vœu parce qu'il va s'exaucer, Hermeline lui rappelle les paroles de Clotilde, des paroles de sorcière.

Adélaïde ne voit plus Martin avec le regard de l'amour. La bienveillance s'est dissipée et le réel lui crève les yeux. Quand elle l'embrasse, les mains sur son visage, que ses doigts s'enfoncent dans son goitre, elle a la sensation que c'est de la gélatine, de la marmelade de chair. Ça ne la dégoûte pas vraiment, mais elle pense à Jabba le Hutt, et pendant que Martin la touche, son cerveau joue en boucle le début de *La Marche impériale* de *Star Wars*. Du coup, maintenant, au lit, elle a du mal à se concentrer.

Adélaïde ne voit plus Martin comme un ogre jouisseur, vorace et insatiable, mais comme un tout petit garçon, avide, égoïste, capricieux. Adélaïde déteste les gosses, rien ne la fait fuir davantage que d'être confrontée aux enfants intérieurs. Celui de Martin ne se porte pas bien et a été mal éduqué. Il dit : D'après ma psy, c'est la faute de ma mère. Il ajoute fréquemment : Ma mère est incestuelle. Adélaïde n'a rien contre cette grille de lecture. Mais ne comprend pas bien, puisque Martin se plaint d'une enfance confrontée à des parents à poil, qu'il s'entête aujourd'hui à se promener cul nu dès qu'il rentre chez lui. Elle avait mis sur le compte de la chaleur la tenue intérieure favorite de Martin, un tee-shirt, des pantoufles, comme ça il se sent bien. Chaque nouveau rendez-vous force Adélaïde à se cogner au réel. Martin n'a pas changé, c'est elle qui sublimait. Invariablement rustre. Pas maladroit : indélicat. Cela étant, il se contenait. À présent, il est en confiance. Adélaïde en terre conquise, officiellement soumise, petite amie fidèle qui ne bougera plus. Martin se révèle désagréable, blessant, de plus en plus souvent. Il lui fait remarquer : Tu as vraiment grossi. Ajoute que dans un couple c'est important d'être franc. Adélaïde aussitôt se dit : Cette histoire ne passera pas le week-end. Nous sommes samedi, 21 heures, dans le grand salon de Martin. Dehors, la lune est décroissante.

Il existe des soirées magiques, parfaitement merveilleuses, où chaque heure est sublime, chaque minute si intense qu'elle en semble irréelle. Et des soirées maudites, parfaitement affreuses, où chaque heure on bascule de Charybde en Scylla. Il est 21 heures, Adélaïde s'empiffre placidement de fromages, dont un brie truffé excellent, en écoutant The Cure, tandis que Martin répète qu'elle a depuis les vacances pris au moins deux kilos. La chaîne hi-fi décide alors de décéder. Du coup Martin se plaint, démonte l'ampli, souffle dedans et perd une vis. Adélaïde s'ennuie, il est 22 h 30. Martin ne dit plus rien, Martin ne lui parle pas. Il s'en va dans sa chambre, elle ne comprend pas bien. Il est 22 h 42, elle le rejoint, il lit un livre. Le silence griffe Adélaïde, et pendant qu'elle se déshabille, ça lui fait des traces jusqu'aux genoux. Dans le lit elle se glisse et Martin ne bouge pas, plongé dans un ouvrage qui a eu le Pulitzer. Il est 23 h 30, elle essaie de dormir. Mais il est bien trop tôt et elle ne comprend rien. Martin éteint. Se tourne vers elle.

Puis, sur le ton de la constatation, lui dit : Je t'aime mais je ne te désire pas.

Adélaïde sent tous ses os se fendre soudain de l'intérieur. Je t'aime mais je ne te désire pas. Les mots de Martin résonnent dans la chambre à coucher, les cloisons se rapprochent, la pièce rétrécit tant qu'Adélaïde suffoque. Elle demeure très calme, cependant. Néanmoins, ce qu'elle répond, et ce qui advient ensuite, elle n'en a pas le souvenir. Elle reprend ses esprits seulement après minuit, Martin est endormi, elle saisit ses habits et rejoint le salon. Elle y passera la nuit, assise sur le canapé. Dans son crâne il y aura des flux contradictoires et beaucoup de colère. Le mot deuil et la vision d'une barquette de viande avariée. Au matin elle dira que tout est terminé. Que s'il ne la désire pas, elle ne peut pas rester. Qu'elle n'en revient même pas de l'existence de cette phrase, Je t'aime mais je ne te désire pas, c'est d'une violence inouïe. Il dira je comprends et je suis désolé. S'excusera d'être franc, mais elle ne l'excite pas, ne l'a jamais excité, la preuve c'est qu'à chaque fois ou presque, de fait, il bande mou.

Dans le taxi Adélaïde se posera des tas de questions. Pourquoi Martin est venu vers elle, comment étaient ses précédentes relations sexuelles, est-il nécessaire de mener l'enquête, comment survivre à cet affront.

L'ego d'Adélaïde se brise sous l'humiliation. En mille morceaux, y en a partout. Martin ne la désire pas, elle n'est pas désirable. Le sang d'Adélaïde s'est transformé en plomb, son cœur et son esprit empreints de saturnisme.

Judith, Bérangère, Clotilde et Hermeline sont bien sûr horrifiées. Goujat est le maître mot, elles prononcent également pervers, toxique, sale type, mufle et sale con. Judith est stupéfaite : il ne s'est pas regardé. Bérangère explique, d'expérience, qu'elle se méfie beaucoup des moches, ils sont souvent les plus cruels. Adélaïde avoue qu'en le voyant si laid, elle était persuadée que c'était un monstre gentil, reconnaissant envers la main qui le caresse, admiratif du corps femelle qui rentre dans une taille 40, d'autant qu'elle a les seins qui tiennent. Clotilde répète que c'est la faute de sa demande aux déesses. Hermeline, celle du patriarcat. Adélaïde promet aux filles de ne plus jamais le recontacter.

Désormais, la voilà toute seule. Célibataire, encore. Adélaïde aimerait bien se défenestrer mais elle est au premier et sait que ça lui passera, parce que ça passe toujours. Surtout que c'est une question d'orgueil, pas un chagrin d'amour. Ce qui se joue ici, ce qui se gère ici, relève de la déception. Bérangère dit que la déception, c'est son sentiment le plus courant, tellement courant que maintenant ça glisse et qu'elle n'y prête plus attention. Judith dit : Il faut qu'on la venge. Clotilde s'emporte : Je vais faire un livre, écrire sur ce qu'on traverse. Hermeline et Bérangère pensent que c'est une excellente idée. Étant son attachée de presse, Adélaïde sait que ça ne sert à rien, elle ne sera pas entendue. Et puis elle ne veut pas que Martin se reconnaisse, ça lui donnerait des billes pour venir jouer les victimes. Elle conseille à Clotilde de finir son manuscrit en cours, un projet féministe dont le titre est à l'étude. Comme c'est un manifeste, elle emprunte un slogan, pour l'instant *Bois mes règles*, mais l'éditeur hésite. Adélaïde, tout comme Clotilde, les trouve frileux aux éditions Humpty Dumpty. Elles regrettent Guillaume Grangois qui, lui, n'aurait pas hésité. Mais Guillaume Grangois s'est retiré en Auvergne, où il fabrique du miel qu'il vend sur Internet et dans sa chambre d'hôtes. Il est déficitaire, mais plus sous Lexomil.

Septembre se poursuit, et avec lui le vide saisit Adélaïde comme l'année précédente. Enfin, pas tout à fait. Si le temps est flottant, le soir, Perdition l'attend. La compagnie de ce chat réduit considérablement la sensation de manque affectif. Le silence n'est pas béant, la bestiole est mouvante. Sans compter les câlins. Pour autant Martin a disparu, pas de message, d'appel, il ne like plus ses posts sur les réseaux sociaux. Alors Adélaïde comble le vide par l'attente, contrairement à l'année précédente, elle a quelqu'un à qui penser, même s'il ne s'agit pas d'amour. Elle veut que Martin agonise. Qu'il soit châtié pour ses paroles et massacré pour ses pensées. Qu'il ne touche plus jamais une femme, qu'il ne puisse plus jamais bander, qu'il perde ses dents et son travail et soit changé en un goret qu'elle égorgera à la pleine lune, avant de l'écorcher pour ensuite le faire rôtir. Rien ne se perd et tout se transforme dans le cerveau d'Adélaïde qui depuis la phrase de Martin, évidemment, ne mange plus rien. Au travail, elle a des absences. Martin, lui, a classé le dossier.

Ils se sont revus dans un café, ils avaient des affaires à se rendre. Pas d'effets personnels, des livres, des DVD. Chacun avait son sac Franprix. Martin lui a dit : Je m'excuse, je suis une merde, je suis désolé. Puis : Tu as eu raison de rompre. Puis : Si ça avait continué entre nous, comme je n'avais pas de désir, j'aurais été obligé d'aller voir ailleurs. Puis : Mais je ne t'aurais rien dit puisque tu es pour la monogamie. Ensuite Adélaïde n'a plus aucun souvenir, rapport à l'état de choc.

Elle voudrait Martin malheureux, mais le voit faire le mariole tous les soirs sur Facebook. Il organise des fêtes et va à des dîners. Elle voudrait rendre Martin jaloux, mais Martin n'en a rien à foutre, ils n'en ont jamais rien à foutre quand ils ont classé le dossier. Ils sont capables de cloisonner, les sentiments, l'orgueil, les blessures ne suintent pas. Ils ne ressentent pas la plaie que laisse béante la rupture, la plaie n'existe pas, eux ils traitent un dossier, le dossier est fermé, ils passent à autre chose. Judith pense que chez les filles, les sentiments, l'orgueil, les blessures, ça déborde et ça bave. Tous les autres domaines s'en retrouvent affectés. Judith ajoute : Les filles, des traînées de bave partout, une douleur de limaces, pas de retenue, escargots. Adélaïde se voit comme un morceau de viande faisandée qui suppure. Si Judith a dit ça, c'est à cause du chanteur. L'homme qui depuis des mois lui plaît à l'en rendre folle et s'en torturer l'esprit. Il l'a juste embrassée et il a disparu. Judith depuis face à son mari a sans cesse envie de mourir. Elle prend l'antenne en retard, perd ses notes et ses clefs, oublie d'aller chercher sa fille. Judith se sent solidaire et transfère un petit peu.

C'est presque octobre, il pleut, et dans le cœur d'Adélaïde il n'y a plus personne, personne pour le faire battre et lui donner l'envie de se maintenir vivante.

Elle sait que sans Perdition, dont elle doit s'occuper, elle toucherait présentement le fond de la piscine. Adélaïde ne pleure pas, elle songe à Bérangère qui se disait gouvernée par le mot déception. Sa bouche est un peu sèche, dedans, le goût du deuil. C'est une histoire de bleus, de cœur plein d'ecchymoses. Adélaïde Berthel, une femme comme toutes les autres. Qui s'est roulée en boule mais doit se relever.

Pendant que les champs brûlent

Grâce au réchauffement climatique, ce vendredi est très agréable, l'été indien début octobre. Adélaïde est bien contente d'avoir posé ses RTT. Ses amies lui ont imposé un petit week-end de remise en forme, ensemble toutes les cinq, trois jours de gynécée. Bérangère a choisi une maison sur Airbnb, juste à côté d'Honfleur. Au programme, balades en plein air, repos, papotages et fruits de mer. Adélaïde hait la campagne et s'en fout complètement de la mer. Elle ne tient pas le vin blanc et déteste faire la sieste, elle ne mange que les crevettes et aucun coquillage, la vue des huîtres ouvertes, ça lui soulève le cœur. Mais elle est plus qu'heureuse d'être avec ses amies.

Sans cette sororité, elle sait qu'elle serait en miettes, étalée sur le parquet. Son ego éclaté en tout petits morceaux, des fragments de Narcisse aux angles tellement tranchants qu'elle se couperait les doigts, ne pourrait les ramasser. Bérangère, Hermeline, Judith et Clotilde forment un cercle tout autour d'elle, comme une armure, un bouclier, un dôme qui enceint sa psyché, son esprit a beau imploser, ses pensées se disperser, sa raison reste protégée, même si elle flotte en particules.

Derrière les vitres du TGV défilent les maisons laides et les champs de maïs, la France périphérique dont les gares sont fermées. Puis viennent les prés, les vaches, les bois, les corps de ferme. La Normandie et ses bocages, ses pommiers sages dans leurs parcelles. C'est déjà trop de vert pour l'œil d'Adélaïde, qui finit le trajet les paupières closes, une compilation de Niagara vissée aux oreilles.

Les filles s'entassent avec leurs sacs dans la voiture de location. Adélaïde n'a pas le permis, c'est aussi le cas de Clotilde. C'est Bérangère qui conduira, Hermeline à Paris a perdu l'habitude et Judith ne veut pas retoucher à un volant depuis qu'elle a embouti la BM de son père en 1997. La maison est humide, le jacuzzi hors d'usage, le mobilier rustique et les murs colorés. Dans la chambre d'Adélaïde, une armoire normande, un grand lit, une coiffeuse. Elle revêt sa tenue du week-end, une robe à fleurs franchement bohème acquise en solde. Hermeline la rejoint en jogging, Clotilde est en treillis, Bérangère a passé un jean. Judith ne s'est pas changée, elle prépare du café et range dans le frigo la bouteille de Coca Zéro réservée à Adélaïde. Afin d'anticiper tout drame, Hermeline et Bérangère prennent la voiture pour aller faire des courses.

Dans le jardin règne le silence, à peine un pépiement d'oiseau. Adélaïde trouve que la campagne, ça a la bande-son d'un décès. Judith a pris ses petites enceintes, elles peuvent y brancher Niagara. Clotilde se soucie des besoins d'Adélaïde et va lui chercher un Coca. Adélaïde se sent toute vide et elle se retient de pleurer. La voix de la chanteuse de Niagara entonne le couplet de *Soleil d'hiver* : *Elle n'était pas du genre à se faire remarquer/C'était jamais elle qu'on invitait à danser.* Adélaïde regarde Judith, lui dit : Je vais crever toute seule. Judith tressaille : Ne dis pas ça. Elle ajoute des tas de mots qui se cognent dans sa bouche, des mots très maladroits attrapés dans l'urgence, comme *espoir* ou *rencontre*, qui sonnent tellement bancals qu'elle en a honte. Adélaïde fixe Judith, répète : Je vais crever toute seule. Ajoute : Faut être lucide. Puis : Ce qui est difficile, c'est de se faire à l'idée. Le ton est sans appel, Judith tente d'insister, Adélaïde ignore de quoi demain sera fait. Adélaïde sourit, elle connaît la chanson, la voix de la chanteuse s'immisce en conclusion : *Au bord du quai doucement elle a sauté/Ses cheveux lentement dans l'eau ont flotté.*

Quand Clotilde revient, la boisson sur un plateau, les larmes d'Adélaïde détrempent sa robe à fleurs.

Bérangère et Hermeline reviennent, les bras chargés de victuailles et de paquets de cigarettes, pour retrouver les trois filles complètement déprimées. Adélaïde a su être très convaincante, Clotilde s'est rangée dans le camp des esseulées à vie. Judith a de la peine et ne sait pas quoi en faire. Elle s'avoue soulagée de posséder un mari. Bérangère sur-le-champ prépare des gin tonics. Hermeline prend une bière. Il est 17 h 30 et le soleil persiste. Clotilde veut tirer les tarots, Judith est contre. Bérangère sert olives et chips. Le cœur d'Adélaïde accepte d'être soigné.

Le propre d'une soirée entre filles, outre l'inexorable évocation des règles et les souvenirs des accouchements, c'est bien l'échange de confidences dont on tire des généralités. Aussi ce soir les hommes sont-ils tous lâches et déficients. Judith dit que le couple peut être deux solitudes, que quand François lui fait l'amour, il ne la regarde plus vraiment. Elle parle du chanteur à qui elle pense sans cesse, de la fidélité qui après douze années lui pèse un bon quintal pour la toute première fois. Hermeline lui demande si elle supporterait que François aille voir ailleurs. Judith raconte l'époque où la jolie stagiaire de François le draguait, combien ça la rendait fragile, jalouse, à demi folle. Adélaïde précise que la fidélité dans son cas c'est un handicap, que refuser le couple libre à l'heure où les applis de rencontre ont transformé l'amour en mode de consommation c'est passer pour un être de nature réactionnaire. Chacun aspire à mieux, et l'offre est en pixels. Le pacte de fidélité rebute, semble obsolète. Personne n'est prêt à renoncer à la farandole des possibles.

Bérangère ne dit rien parce qu'elle est amoureuse, ça agace Hermeline que ce soit d'un homme marié. Clotilde évoque les Na, une ethnie de Chine, des agriculteurs qui vivent près de l'Himalaya, les traces de leur existence remontent à Marco Polo. Ils sont 30 000 et ont toujours vécu sans l'institution du mariage et la notion de paternité. Les frères et les sœurs na partagent tout et élèvent ensemble les enfants qu'ont eus les femmes. Leur dicton : *La part de l'homme dans la reproduction est comme l'action de la pluie sur l'herbe des prairies, elle fait pousser, sans plus.* C'est écrit dans un livre que Clotilde lit en ce moment, elle l'a pris avec elle. Les enfants sont conçus lors de *visites furtives*. Les sœurs habitent avec les frères. Adélaïde demande ce qu'ils font chez les Na des filles comme elle, sans frères, sans famille, et conclut immédiatement : Même dans l'Himalaya je crèverais toute seule. Puis part d'un rire aigu qui fait peur à tout le monde. Hermeline détesterait partager le quotidien de ses frères, Bérangère trouve que tant qu'on ne couche pas avec, ça se discute, Judith n'ayant qu'une sœur, elle n'a pas trop d'avis.

Hermeline a vu un documentaire sur les Na, dedans ils disaient les Mosuo. Elle s'en souvient très bien, ils résident tout près d'un lac que l'on dit empli des larmes de la déesse locale. Elle trouve ça beau, très poétique. Adélaïde rappelle Valerie Solanas, *Rien dans cette société ne concerne les femmes*. Bérangère note que c'est parfois violent, dans son cas, au travail, les femmes entre elles. Que ça lui est plus aisé, mine de rien, les groupes mixtes. Adélaïde se souvient de la guerre qu'elle menait contre sa collègue Anne-Marie, des formes que ça revêtait, de la mesquinerie. Vipère au groin, quand même. Elle a un petit peu honte de l'épisode du laxatif. Il paraît qu'Anne-Marie n'est jamais retournée aux éditions David Séchard. Elle s'est associée avec un ami qui pratique la permaculture et a ouvert un bar à jus de fruits bio du côté de Montpellier.

Le soleil s'est couché, elles préparent le dîner, magrets de canard, fromages et salade verte. Clotilde prophétise que maintenant qu'elles se font inséminer seules, de plus en plus de femmes vont se passer du couple. Et qu'il va y avoir une recrudescence de bisexuelles, ce qui n'arrangera hélas pas ses affaires puisqu'elle n'a pas de projet d'enfant. Adélaïde souligne que toutes les deux sont seules. Que ça se paie très cher tout au long de sa vie, le refus d'avoir un enfant. Bérangère leur fait remarquer que son fils s'est éloigné, que quand les gosses deviennent adultes, ils s'en foutent complètement des parents, c'est normal. Mais qu'elle redoute clairement lorsque l'heure aura sonné qu'il la place en Ehpad sans se poser de questions. Judith pense à sa fille en coupant son magret.

Le week-end se poursuivra à grand renfort de confidences, de rires, de gin tonics. Le samedi soir Adélaïde fera une allergie, on ne saura pas à quoi, le médecin dira plus tard au pollen. Ses yeux seront collés au réveil, conjonctivite carabinée. Elles iront sur le port déjeuner à 15 heures d'un plateau de fruits de mer. Adélaïde mangera crevettes et langoustines derrière ses lunettes de soleil. Elles regretteront qu'il n'y ait pas de brocante, mangeront énormément de crêpes, diront le plus grand mal de connaissances communes, s'avoueront ivres mortes leur amour réciproque, conscientes que l'amitié est bien une forme d'amour.

De retour à Paris, Adélaïde pensera, caressant Perdition, qu'elle est plutôt chanceuse, et au fond pas si seule. Et que c'en est fini de chercher le garçon.

L'amour c'est comme une cigarette

C'est le jour d'Halloween, le sabbat de Samain. Adélaïde aurait préféré le célébrer chez Judith, mais elle accompagne Clotilde dans un festival de littérature expérimentale à trois heures de chez elle, parce qu'on ne fait pas toujours ce qu'on veut. Clotilde doit y présenter une performance où elle dépiaute *Le Petit Robert* en l'accusant de sexisme, puis chante faux et très fort sa version féministe du *Chant des partisans* devenus *partisanes*. Elles ont pris un TER, posé leurs affaires à l'Ibis, tenté de trouver du soda à l'aspartame. Découvert le petit théâtre où la soirée doit se dérouler, dit bonjour aux auteurs croisés, parlé aux organisateurs. Il est autour de 15 h 30.

Deux jeunes artistes déchargent les accessoires de leur intervention du lendemain, des cageots remplis de poulets morts. On entend dans le foyer des bribes du filage en train de se dérouler dans la salle d'à côté. Une liste de noms propres, la liste des GAFA et des entrepreneurs de la Silicon Valley. De temps en temps retentissent les échos d'une voix synthétique qui dit quelque chose en anglais. Dehors bien entendu il pleut, Météo France prévoit jusqu'à demain des trombes d'eau, ce qui fait qu'Adélaïde voit clair dans le programme. Le public sera composé des dix intervenants, des amis de ces derniers et du libraire local. Clotilde a l'habitude, ça lui arrive souvent. Parfois les salles sont grandes, le public convaincu. Parfois c'est difficile, le public est résistant, le contexte inadapté. D'autres fois comme ce soir, presque personne ne vient. Pour autant elle se dit que c'est important quand même. Que lire devant ses pairs, écouter ses collègues fait partie du travail. Et que ce sont aussi des lecteurs comme les autres, les amis de leurs amis. En tant qu'attachée de presse Adélaïde, elle, considère que c'est une perte de temps. En tant qu'amie elle sait que pour Clotilde, partager son travail dans des lectures publiques, c'est extrêmement important.

Il est 16 h 25, sur scène Clotilde fait ses balances, des essais voix, teste le micro et ses pédales. Adélaïde l'observe, calée au premier rang. Soudain la porte s'ouvre, entrent dans la salle deux hommes, Abel Caster, un poète contemporain, vieil ami de Clotilde, suivi de son musicien. Adélaïde les salue sans vraiment les regarder. Rapidement le musicien s'assoit à ses côtés, tandis que Clotilde trafique sa voix et lance une séquence de larsens prévue sur son ordinateur. Il se présente à Adélaïde et dit qu'il n'a pas vu Clotilde lire depuis *J'habite dans mon frigo*. Adélaïde se souvient qu'alors, la bande-son de Clotilde était constituée de bruits de réfrigérateurs de marques et d'époques différentes, qu'elle malaxait ad nauseam, composant un tapis sonore qui rendait sa lecture inaudible. Aussi précise-t-elle aussitôt : La pratique de Clotilde a beaucoup évolué. Le filage s'achève, le poète et le musicien prennent place sur la scène ; le poète sort ses feuilles, le musicien son Mac, les filles écoutent un peu, c'est de bonne qualité, elles retournent dans le foyer. On sert le catering, il n'y a pas de Coca Light et les quiches sont mal cuites.

Il est 18 h 45. À table le musicien rejoint Adélaïde qui est bien embêtée : elle ne sait plus son prénom. Il s'appelle Adrien et il est volubile. Il lui sourit et lui pose beaucoup de questions. Il est 19 h 57. Adélaïde est étonnée, mais force est de constater : il s'intéresse à sa personne. Elle est excessivement surprise. Pas seulement que ça arrive, mais aussi à cause du profil, Adrien est un très bel homme, du genre qui met tout le monde d'accord. La cinquantaine plus que ténébreuse, la barbe de trois jours grisonnante. Elle n'attire pas ce type d'homme-là, c'est hors de sa catégorie. Elle se demande ce qui se passe, n'est pas certaine de voir très clair. Mais Adrien lui touche le bras, cherche à la faire rire, la provoque. Lui propose, sous le petit auvent, d'aller fumer une cigarette.

Adélaïde marque une distance pour vérifier que l'homme avance, qu'il lui fait bien en paon la roue, que ses signes sont adressés à elle. Qu'elle n'interprète pas, ne rêve pas debout. Ils sont seuls, il lui parle de très près. Partage sa dernière cigarette, leurs doigts se frôlent et la tension s'installe dès lors comme officielle. Il la complimente frontalement en la regardant dans les yeux. Adélaïde perd ses moyens, en fait tomber la cigarette. Ils rient, et aux tréfonds d'elle-même elle pense à l'expression coup de foudre. Les lèvres d'Adrien, elle les embrasserait bien, parti comme c'est il semble que d'ici quelques heures ça pourrait se produire.

Clotilde a compris leur manège, elle ne va pas tarder à monter sur scène, dans les loges elle lui dit : Par Héra, qu'il est beau. Puis : Il te tourne autour, ça se voit, c'est évident. Elle ajoute : Vas-y fonce. Adélaïde retourne à sa place dans la salle, il va de soi qu'Adrien a gardé un fauteuil. Il est 21 heures. Durant la performance proposée par Clotilde, tout en Adélaïde n'est que stratégie de contact. Elle pense au *Rouge et le Noir*, à la scène de la main, lorsque Julien Sorel saisit celle de Madame de Rênal, pendant que Clotilde s'agite en arrachant sous les lumières une première page du dictionnaire. Adrien lui frôle le genou, sur l'accoudoir leurs bras se touchent. Dès lors Adélaïde ne voit ni n'entend Clotilde, elle se fabrique un nouveau souvenir, celui de sa première soirée aux côtés d'Adrien, à l'aune de leur premier baiser, à l'orée de leur première nuit. Elle s'attend à ce qu'Adrien lui prenne délicatement la main. En déduit que c'est trop tôt et applaudit Clotilde.

Abel Caster et Adrien devant assurer la suite, ce dernier s'enfuit dans les loges, non sans avoir réclamé à son départ un enfantin bisou. Le cœur d'Adélaïde est dans la stratosphère, son âme remercie l'univers, son esprit se tourne vers Aphrodite qu'elle reconnaît en déesse mère. Tandis que Clotilde signe quelques livres, Adélaïde dans les toilettes pousse des cris de joie silencieux.

Il est 22 h 30, le spectacle reprend. Le poète ne fait pas de rimes mais dit la vérité. 4 millions de Français sont ou ont été victimes d'inceste, on estime actuellement que deux enfants par classe endurent ce crime en huis clos. Attendu que Clotilde a durant sa performance rappelé qu'en France un féminicide est commis tous les deux jours et une agression homophobe tous les trois jours, le public passe une bonne soirée. Adélaïde n'a d'yeux que pour le musicien. Elle se demande d'ailleurs, en le voyant affairé devant l'écran du Mac, de quel instrument il joue, en fait, à l'origine. Si hors du logiciel il se tient aux claviers ou secoue sa guitare. Il est bien trop extraverti pour être bassiste. Ce qui l'attend bientôt, la sérénade en riff ou en nappe mélodique, elle aimerait bien le savoir. Et que bientôt s'approche, son cœur le réalise, battant plus fort encore, lui réclamant maintenant de faire le premier pas.

Il est 0 h 15, le théâtre ferme et dans le foyer Adélaïde et Adrien semblent dans une bulle inoxydable. Ils ont beaucoup de goûts en commun, évoquent des anecdotes de leur adolescence. À 1 h 30, Clotilde décolle Adélaïde du bar. Accompagnés par le poète, tous rentrent à pied à leur hôtel, se perdant en chemin malgré le GPS. Les chambres se suivent, marquer un temps d'intimité devant le groupe est impossible. Le cœur d'Adélaïde se retourne, Adrien lui fait un clin d'œil avant de refermer la porte en lui susurrant un Dors bien. À 1 h 45 Adélaïde ne dort pas et demande Adrien en ami Facebook. Il accepte aussitôt. Une cloison les sépare. Ils échangent des messages jusqu'à 3 h 50. Les tout derniers contiennent de nombreux émojis.

Le lendemain midi, Adélaïde émerge. Un papier a été glissé sous sa porte. Adrien a écrit son numéro de portable, *J'ai dû prendre le train.* Suivi de *Doux baisers.* Adélaïde trouve d'abord ça charmant, mais dans un second temps, *Doux baisers* l'épouvante. Un petit côté désuet et un peu ridicule. Dans le train Clotilde lit et Adélaïde reste tout le trajet sur son téléphone, à échanger des SMS. Clotilde la félicite et lui fait promettre à la gare de la tenir au courant de l'épisode suivant, à savoir le rendez-vous. Chez elle Adélaïde ne réalise toujours pas, elle se répète pourtant : Il se passe quelque chose. Adrien lui propose de se voir un soir dans le courant de la semaine. Dès qu'elle le peut, elle lui manque trop. Il l'écrit d'ailleurs en toutes lettres.

Avant qu'ils se mettent d'accord sur le lieu du rendez-vous et valident la date, le cerveau d'Adélaïde exige de prendre la main. De vérifier qui est, au fond, cet Adrien. Elle a bien sûr la veille épluché son Facebook et fait le tour de Google, mais ce n'est pas suffisant. Il est tellement à l'aise, beaucoup trop avenant. Sans compter *Doux baisers.* Une formule fabriquée. Il se pourrait que tout ça ne soit pas l'œuvre d'un coup de foudre, mais d'une mécanique, d'un plan très bien huilé, Adrien si ça se trouve n'est qu'un odieux play-boy, un simple sérial baiseur. Adélaïde se dit qu'elle ne peut pas prendre de risque, elle veut une relation qui ne soit pas que sexuelle.

Comme c'est un musicien, elle s'en remet à Judith, tombe sur son répondeur, précise : Ici code rouge pour un dossier garçon. À peine sortie de la radio, Judith la rappelle et s'enquiert du nom. Revient avec les infos en moins d'une demi-heure. Adrien est marié. Le cœur d'Adélaïde se fige en un instant. Celui de Judith se tord de douleur pour sa sœur. Devant son téléphone, Adélaïde hésite, puis demande du pouce à Adrien : Avant d'aller plus loin, je voudrais vérifier. Tu es bien libre au moins ? Il s'écoule vingt minutes, ensuite Adélaïde découvre qu'il est possible de balbutier par écrit. La réponse est très longue, des phrases comme *Tu me touches* et *J'en suis désolé, Pas libre au sens où tu l'entends.* Adélaïde bloquera aussitôt Adrien. Elle ne versera pas une larme, il lui aurait dit tôt ou tard : Je te désire mais je ne t'aime pas.

Le jour s'est levé

C'est le cœur d'Adélaïde, le héros de cette histoire. C'est lui qui cogne et saigne, exige et se déploie. C'est lui qui fait le deuil, englouti par le vide. C'est lui qui seul s'entête à battre toujours plus fort. Parfois il s'imagine qu'il n'est plus fait de chair, mais de matériaux composites, de fibres synthétiques, l'aorte ignifugée.

L'automne dévore les crépuscules, Adélaïde enfin accepte son célibat. Elle se dit que c'est une phase et qu'elle doit l'accueillir, qu'à trop vouloir lutter son ego et son cœur finiront abîmés. Adélaïde est raisonnable, elle s'incline, elle n'a pas le choix. C'est écrit dans les chiffres, bien plus de femmes que d'hommes, elle ne peut se soustraire à la réalité.

Ainsi, Adélaïde soigne son épousite aiguë par des bains de solitude. Le silence ne l'inquiète plus, désormais il la berce. Elle écoute de la musique sans chercher à danser dessus avec Vladimir. Son lit de 1,20 mètre est resté virginal, et son appartement est celui d'une jeune fille. Mademoiselle Adélaïde, quand elle se regarde dans la glace, c'est pour s'y mirer en chanson, s'imaginer qu'elle extermine d'un revers de main ses soupirants. Elle n'a plus envie de personne, est soulagée d'être sans liens.

Elle traverse les mois, les semaines et les journées plus forte et plus légère. Consciente d'être privilégiée, bientôt ce sera la fin du monde. Adélaïde se réjouit chaque jour de ne pas avoir fait d'enfants. La collapsologie s'impose mais ne l'atteint pas. Judith, elle, lui confie en se tordant les doigts : Les enfants de ma fille n'auront peut-être pas d'eau. Adélaïde veut jouir avant la fin du monde. Elle est sûre de s'éteindre avant l'effondrement, d'ici trente, cinquante ans, selon les prévisions.

Dans le cercle d'Adélaïde, des choses se modifient. Bérangère s'approprie le statut de maîtresse de façon officielle. Elle juge ça très pratique, résume à ses amies : J'ai un mec à mi-temps. Adélaïde trouve triste qu'elle ait renoncé au couple. Hermeline reste choquée et ne cesse de lui poser des questions sur l'épouse. Judith aimerait pouvoir oublier le chanteur, depuis le temps que ça dure, c'est un fantasme absurde qui a cristallisé. Elle implore ses amies de l'aider par un rituel, briser le lien, l'attirance, le sortir de sa tête. Judith aime son mari et se sent possédée. Clotilde lui conseille de se rendre chez un psy. Elle pense que le chanteur incarne les possibles auxquels elle doit renoncer, que les déesses n'y peuvent rien, qu'elle doit juste accepter.

C'est déjà fin avril. Adélaïde se rend ce soir-là à une fête chez des amis de Judith qui tient à la sortir. Judith s'inquiète beaucoup, la vie d'Adélaïde se résume au travail et à quelques verres pris en sortant du bureau avec deux trois amis. Elle l'entraîne à l'anniversaire d'un journaliste, les compagnons d'Adélaïde ont souvent été journalistes. Elle les trouve intelligents, curieux, charismatiques, la plupart du temps. Judith est persuadée que ce sera un vivier, de source sûre ils sont nombreux à y être célibataires. Adélaïde met un chemisier totalement dénué de décolleté mais dont les manches bouffantes donnent une certaine allure. Elle est ici à l'aise, des visages familiers lui sourient dans chaque pièce. Les hommes ont de la prestance, Adélaïde par jeu repère les proies potentielles. Bien sûr, aucun n'est libre. Adélaïde dit à Judith qu'il est temps de lâcher l'affaire. Elle ajoute : Faut se faire une raison, et l'entraîne sur la piste de danse au milieu du salon.

Elles se trémoussent sur Blondie et s'amusent sur Kim Wilde. Soudain le rythme devient indansable et la mélodie inconnue. Quelqu'un a repris les platines, maintenant c'est de l'électro pointue. Adélaïde reconnaît Luc. Elle ne l'a pas revu depuis la fête chez Judith, il y a plus d'un an. Il était déjà mince, mais ses traits sont creusés, la rumeur veut qu'il sorte d'une passion dévorante. Il est assis devant l'ordinateur, le visage éclairé par l'écran. Il est d'une beauté bouleversante, qu'Adélaïde juge inaccessible. Quand elle regarde Luc elle pense au *Sturm und Drang* et aux *Souffrances du jeune Werther*. Adelaïde envisage Luc comme un sublime objet précieux, dont elle n'aurait pas les moyens. De fait, elle lui parle à peine, mais son regard ne peut le quitter. Ce qui lui permet d'assister au manège d'une très jolie blonde qui semble plus qu'intéressée. Adelaïde se dit que les choses se répètent, et elle déteste ça.

Luc a repoussé la blonde : il préfère faire le DJ. Adélaïde s'approche, ne sort que des banalités, puis rejoint Judith pour lui confier sa honte. Judith s'étonne qu'elle bloque à ce point, lui rappelle que Luc est connu pour être un garçon compliqué, mais se réjouit qu'Adélaïde ait une occupation. Judith lui dit : Va et sois brave. Elle ajoute : Tu n'as rien à perdre.

Adélaïde retourne aussitôt dans le salon, elle sait très bien ce qu'il faut faire. Flatter le choix des morceaux de

Luc, faire son intéressante en feignant d'être en transe grâce à sa construction. La blonde présentement saute partout en poussant des petits cris aigus. Le corps d'Adélaïde empeste la défaite. Elle part dans la cuisine se faire un gin tonic.

Adélaïde s'en va sans reparler à Luc. Elle enfile son manteau sans même lui dire au revoir. Luc continue de mixer et ne s'en rend pas compte. Pour lui Adélaïde est une fille comme tant d'autres, depuis quinze ans il la croise chez des amis d'amis. Rentrée chez elle Adélaïde constate qu'elle est troublée. Elle caresse Perdition en ne pensant qu'à Luc. Toujours célibataire et sans aucun enfant, le profil est si rare, ce serait un peu stupide de ne pas tenter le coup. Adélaïde se dit : Je ne vais pas attendre une hypothétique fête dans l'année à venir. Elle réfléchit un peu. Elle n'a aucun moyen de l'approcher discrètement, de le croiser par hasard. Elle le connaît très peu, n'a pas son numéro. Adélaïde fait des recherches, le mail d'invitation envoyé par Judith, elle trouve l'adresse de Luc, décide de lui écrire. Adélaïde dès lors a dans le crâne un champ de bataille, l'orgueil et la raison, en elle tout se déchire. Elle s'expose au refus mais ne veut pas y mettre le mot humiliation. Elle se voit comme une joueuse qui n'aurait rien à perdre, se dresse bravement, avance, tente son coup de poker en quatre lignes frontales. Il lui plaît et elle pense qu'ils peuvent être compatibles.

Adélaïde clique sur Envoi avec la sensation d'activer une option qui peut changer sa vie. Elle est très fière d'être agissante, se sent extrêmement courageuse. Elle sait que les chances sont infiniment minces, Luc n'est sorti qu'avec des blondes, généralement des avions de chasse. Il n'est pas impossible qu'il lui réponde : Je t'aime bien mais je ne te désire pas. Adélaïde sait qu'elle prend le risque de se sentir encore une fois comme un vieux rôti faisandé, mais elle est psychiquement préparée cette fois-ci.

Durant les heures qui suivent son cœur bondit au bip des notifications. Elle savoure cet espoir, la possibilité d'un nouveau commencement. Elle ne se projette pas, pour la toute première fois elle ne s'imagine pas dans la quotidienneté, la conjugalité, la salle de la mairie. Les bains de solitude ont été efficaces, elle se découvre guérie de l'épousite aiguë. Son sommeil sera doux, légèrement mordoré.

La réponse tardera, Luc ne s'y attendait pas il est désarçonné. Deux jours devront s'écouler. Le retour sera délicat et d'une grande élégance, permettant à Adélaïde de vivre ce refus sans qu'il ait le goût de l'échec.

Elle se dira : Cet homme est hors de ma portée. Son cœur sera capable, alors, de l'oublier. C'est qu'il a tant vieilli, le cœur d'Adélaïde. Il accepte le réel, il sait se protéger. Il ne veut plus saigner, se préfère encore vide. Le cœur d'Adélaïde se voudrait embaumé.

Ce qu'il va devenir, le cœur d'Adélaïde, c'est bien sûr la question qu'ici il faut se poser. Sa seconde partie de vie, à notre Adélaïde, se déroulera sous quelle forme, quel en sera le schéma existentiel ? Adélaïde survit, c'est une femme comme tant d'autres. Ce qu'elle va devenir, difficile de trancher.

Amour année zéro

Peut-être qu'Adélaïde finit par être lassée des bains de solitude. Peut-être qu'une nuit de pleine lune ou de solstice d'été, elle réédite sa demande auprès des sept déesses en la formulant mieux. Elle pense à des détails extrêmement précis, sa liste est longue, ses amies convaincues. Hermeline se demande quand même si le cahier des charges n'est pas un peu trop lourd pour être réalisable. Bérangère doit admettre qu'avec tant de paramètres, si le rituel fonctionne, Aphrodite sera vraiment plus performante que Tinder. Judith est persuadée qu'on a tous une âme sœur, et dans son cas plusieurs, ce qui explique que le chanteur n'arrête pas de la rappeler. Judith ne cédera pas : Clotilde par mansuétude l'aura désenvoûtée.

Quand vient le mois de septembre, à la faveur d'une fête chez des amis de Judith, elle le rencontre enfin, celui qui ressemble à Vladimir. Il a quarante-six ans, les pupilles dilatées et beaucoup de prestance, son nez est gigantesque, durant tout le lycée son surnom était Cyrano. Il est intelligent et rédacteur en chef d'un média pour les geeks. Nous l'appellerons Grégoire, c'est un joli prénom pas encore employé.

Grégoire n'a pas d'enfants, a toujours été contre. Ce qui explique partiellement qu'il ne soit pas en quête d'une femme plus jeune. Grégoire n'est pas trop névrosé, a déjà enterré sa mère et terminé il y a des lustres une analyse qu'il avait entreprise par simple curiosité. Il est divorcé depuis trois ans, a de bons rapports avec son ex. Accompli professionnellement, il n'est pas pétri de frustrations. Grégoire possède de nombreux atouts, un timbre de voix charmant, un sens de l'humour développé et un petit deux-pièces à côté de République. Il aime être surpris et est très créatif. Ça n'a rien d'excitant pour lui de dominer intellectuellement sa partenaire. Ce qui explique définitivement qu'il ne donne pas dans les femmes plus jeunes.

Adélaïde plaît à Grégoire, comme quoi ça pouvait arriver. L'époque est au consumérisme, mais Grégoire préfère se fixer. Pour autant, il ne cherchait pas, Adélaïde s'est imposée. L'amour c'est quand deux solitudes se reconnaissent au point de s'embrasser.

Le cœur d'Adélaïde n'a plus les mêmes attentes maintenant qu'il est guéri de l'épousite aiguë. Grégoire est perçu pour lui-même, il n'incarne pas une fonction. Adélaïde n'a plus besoin d'être sécurisée, elle est affectivement devenue autonome. Elle n'est plus en quête de fusion, elle tient à son intégrité. L'amour c'est quand deux solitudes se complètent sans se dévorer.

Adélaïde trouve son élu, s'ensuit un nouveau commencement. Adélaïde s'adapte vite, elle se coule dans la vie à deux. Une vie très différente de celles qu'elle a connues. Il n'est pas impossible d'inventer son modèle. Elle ne s'y ennuie pas et fait peu la vaisselle. Grégoire est inventif, quant à Adélaïde, on la sait astucieuse. Ces deux-là se comprennent et ils savent s'étonner. L'amour c'est quand deux solitudes se surprennent à s'en faire trembler.

Ils s'installent rapidement ensemble, louent un appartement trop petit dans un quartier convenable, à moins qu'ils ne préfèrent 75 m² dans un quartier sordide. Ou que Grégoire ne revende son deux-pièces, et qu'ils prennent un crédit. Dans ce cas le même choix se posera, en tant que propriétaires. Bien entendu Grégoire est comme Adélaïde : il a la chlorophylle en horreur, la campagne l'angoisse, la banlieue le déprime, sa vie est à Paris. Aussi seront-ils maudits jusqu'à leurs derniers jours sur le plan du logement.

Aphrodite est revenue, le cœur d'Adélaïde en est tout irisé. Grégoire sera le dernier, au bout de quelques années, bien sûr, il l'épousera. Hermeline sera affligée de constater que son amie reste dans un schéma aussi traditionnel. Judith s'en réjouira, d'autant plus que son mari et Grégoire s'entendent bien. Bérangère ne pourra pas venir, la femme de son amant venant juste d'accoucher, elle ne sera pas en état, rapport au Lexomil. Clotilde gardera le chat pendant le voyage de noces.

C'est ainsi que peut se finir l'histoire d'Adélaïde. Elle se retrouve un conjoint et poursuit sa carrière. Elle n'aura pas été longtemps célibataire, pourtant cette parenthèse marque une éternité. La solitude c'est quand se meurt le mot amour. Adélaïde Berthel, c'est une femme comme plein d'autres. Elle a besoin qu'on l'aime pour se sentir exister.

Toute seule

À moins qu'Adélaïde ne rencontre personne. Personne qui lui convienne, l'émeuve et la fasse rire. Le cœur d'Adélaïde est devenu exigeant et il n'a plus besoin qu'on le remplisse à tout prix. Adélaïde a pris conscience que jamais dans le réel n'existera Vladimir. Qu'elle correspond statistiquement aux exclues du marché, les femmes surdiplômées trouvent moins facilement de compagnon. Les hommes sous-diplômés aussi. Eux, ils se font rafler leur proie par des forces de frappe économiques supérieures. Les femmes trop cultivées effraient, fatiguent, déstabilisent. Adélaïde appartient à une génération peuplée de mâles alpha, qui rendent sa condition de femme hétérosexuelle difficile à gérer. Elle se refuse à devenir misandre, pourtant parfois elle se dit que ça lui pend au nez.

Adélaïde comprend que sa singularité, son refus de faire famille, d'accepter toute famille, la fait passer pour folle, ce n'est pas un atout, autant de liberté. Adélaïde accepte que son profil soit tordu et fasse fuir le plus grand nombre, elle se résout au réel, elle n'est pas adaptée.

Du coup Adélaïde accueille la solitude et contre elle se pelotonne, Perdition lui suffit, l'achat d'un plus grand lit saura la contenter. Puisqu'il y a plus de femmes que d'hommes, il faut bien que certaines demeurent célibataires. Ainsi Adélaïde ne connaîtra plus le couple, pour autant elle ne sera pas du tout malheureuse.

Elle aura des histoires, brèves, toujours décevantes, qu'elle prendra pour ce qu'elles sont : de simples divertissements. Son cœur sera tranquille, ne battant que pour lui-même. Son rapport au silence se développera lentement. Partager son espace lui semblera bientôt une idée incongrue, elle se demandera souvent comment elle avait pu. Elle vivra néanmoins dans de minuscules deux-pièces, en dépit de son salaire qui aura augmenté. Quel que soit le chemin de vie que suit Adélaïde, le marché locatif de la ville de Paris est un parfait scandale. Renoncer à habiter dans un endroit spacieux, sincèrement agréable, ça lui fera de la peine, elle mettra beaucoup de temps. Sûrement parce qu'elle travaille vraiment énormément. Et qu'elle sait que sur ce plan-là, à deux, tout serait plus simple.

Adélaïde est seule et libre, soumise à aucune contingence relevant du conjugal. Elle dispose de son temps, son temps n'est plus flottant, elle l'occupe, le comble. De sorties culturelles, d'interactions sociales. Elle a d'autres habitudes, le manque n'existe plus. Adélaïde se consacre pleinement à sa carrière, elle change deux fois de maison, finit cheffe de service. L'amitié se substitue naturellement au couple, son cercle s'élargit autant que son horizon.

Adélaïde ignore tout de la nostalgie, au point d'avoir complètement perdu de vue Vladimir. Hermeline se réjouit de son empowerment et la cite en exemple de célibat éclatant. Judith essaie régulièrement de lui présenter des hommes, mais à part Luc qui reste l'objet inatteignable, aucun ne lui paraît réellement attirant. Clotilde écrit un livre sur leurs mésaventures, qu'elle projette d'appeler *La Plastification des ventricules*. Bérangère en voyant qu'Adélaïde s'en sort a trouvé le courage de rompre avec son amant qui vient d'avoir un fils.

Adélaïde vieillit, son cœur s'est endurci, Aphrodite est partie, depuis longtemps maintenant elle a fait le deuil du mot amour. Elle l'éprouve néanmoins auprès de Perdition. Le chat partage ses nuits, le chat partage sa vie, elle lui dit très souvent : Je t'aime, comme pour que cette phrase ne rouille pas. Perdition lui lèche le visage, ce qui n'est pas très hygiénique, mais Adélaïde la laisse faire. Une forme d'intimité qu'elle conserve secrète.

Ainsi peut se poursuivre le parcours d'Adélaïde. Elle n'a besoin de personne, si ce n'est de ses amies. Seule la sororité est au centre de sa vie. Elle se consacre à son travail et devient une machine de guerre. Elle ne regrettera jamais rien, saura se satisfaire de son sort, ou mieux encore : l'optimiser. La solitude sera son habitacle naturel, sa liberté de mouvement, tout son écosystème.

Ça peut être ça aussi, le destin d'Adélaïde, elle a connu le couple, des décennies d'amour, s'est toujours ennuyée. Elle sera à jamais une femme célibataire, ce statut finira par la sécuriser. Le célibat n'est pas du tout le mot solitude, pour qui sait le remplir autant que s'y déployer. Adélaïde Berthel, une femme comme un tas d'autres. Qui n'a pas besoin d'homme pour se sentir exister.

Les guérillères

Quoi qu'il en soit, Adélaïde se retrouve à soixante-seize ans seule, par choix ou à la suite de l'enterrement de Grégoire. Les hommes meurent en premier, d'ailleurs Judith est veuve. Clotilde célibataire, Bérangère également. Hermeline s'est mariée il y a trois décennies, sa femme s'appelle Jasmine, elles ont eu deux enfants. Hermeline est la première à être surprise par son destin. Elles habitent à Montreuil, dans une très grande maison. Si grande que c'est ensemble, toutes ensemble qu'elles y vivent.

Elles ont monté un collectif, une minuscule structure qui édite des ouvrages, organise des lectures, des performances et des concerts dans leur garage aménagé. *Les filles de Lilith*, ça s'appelle. Clotilde s'occupe des livres, Judith de la musique, Hermeline du graphisme, Adélaïde de la communication et Bérangère des comptes. Leur catalogue, comme leur programmation, est exclusivement féminin. Elles apportent leur soutien à des voix émergentes, tout en étant certaines de ne pas s'ennuyer.

Le cœur d'Adélaïde s'emballe une fois tous les trois mois, quand Judith organise une de ces fameuses fêtes dont elle a le secret. Leur cardiologue est contre, mais elles ne l'écoutent pas. Elles ne veulent pas renoncer à leurs vieilles habitudes. Vers les quatre-vingts ans, elles auront beaucoup de mal à trouver un dealer. Pour autant elles danseront toujours sur les mêmes titres, jusqu'à ce que la musique se change brusquement en électro pointue. Luc se déplace désormais avec un déambulateur mais tient plus que jamais à être le seul DJ.

Adélaïde aura de très jolis souvenirs mais aucune nostalgie. Le quotidien sera doux, entourée de ses amies, même s'il est vrai que Clotilde sort très peu de sa chambre. Perdition depuis longtemps aura quitté ce monde, mais elles auront quatre chats, deux de gouttière, deux siamois, qui porteront des noms de maladies exotiques et de médicaments. Adélaïde chaque jour sera dans le partage et la stimulation, au point d'en oublier qu'elle va bientôt mourir. Son attaque aura lieu au-dessus de la tablette du lavabo, un soir de Saint-Sylvestre. À toutes, ça fera une peine folle. Et un choc, elles ne seront plus les mêmes. Bérangère, puis Judith et Clotilde s'éteindront. Hermeline les pleurera dans les bras de Jasmine. Ses enfants lui diront de vendre la maison, bien trop grande, de Montreuil. De prendre un simple trois pièces et de se rapprocher d'eux. Hermeline finira ses jours du côté d'Arles. Avec elle disparaîtra toute trace d'Adélaïde. La mémoire des vivants, elle seule, contre l'oubli.

C'est comme ça qu'elle s'achève, l'histoire d'Adélaïde. Une communauté de filles, parce qu'il faut être lucide et toutes s'y préparer. Il y a plus de femmes que d'hommes et ils meurent en premier. À défaut d'être lesbienne, il faut être inventive. Qu'Aphrodite soit partie ou qu'elle préfère rester. Certains peuvent être en couple, mais rongés de solitude. Il n'y a que l'amitié et la sororité qui préservent de l'abîme. Mode de vie adapté, en cercle se regrouper, s'organiser pour rire et ne pas crever toute seule.

Le cœur d'Adélaïde s'est transformé en cendres dans le crématorium. Il repose à Montreuil, dispersé sur le gazon d'un petit jardinet. L'herbe est haute, à présent. Le cœur d'Adélaïde n'avait aucun regret. Quand le cercueil a flambé, le crépitement des flammes, ça faisait comme une chanson. L'herbe est dense sous le vent. La musique, paraît-il, c'est très bon pour les plantes.

Table

Du même auteur

Les Mouflettes d'Atropos
Farrago, 2000
et « Folio » n° 3915

Le Cri du sablier
Farrago/Léo Scheer, 2001
et « Folio » n° 3914

Mes week-ends sont pires que les vôtres
Néant, 2001

La Vanité des somnambules
Farrago / Léo Scheer, 2003

Monologue pour épluchures d'Atrides
cipM/Spectres familiers, 2003

Corpus Simsi
Léo Scheer, 2003

Certainement pas
Verticales, 2004

Les juins ont tous la même peau. Rapport sur Boris Vian
La Chasse au Snark, 2005
et « Points » n° 2055

J'habite dans la télévision
Verticales, 2006
et « J'ai lu » n° 8856

Chanson de geste & Opinions
en collaboration avec Pascal Pinaud
Musée d'Art contemporain du Val-de-Marne, 2007

La Dernière Fille avant la guerre
Naïve, 2007

Transhumances
è⟨R⟩e, 2007
éditions JOU, 2020

La nuit je suis Buffy Summers
è⟨R⟩e, 2007
éditions JOU, 2020

Eden matin midi et soir
Joca Seria, 2009

Narcisse et ses aiguilles
L'une & l'autre, 2009

Dans ma maison sous terre
Seuil, 2009

Au commencement était l'adverbe
Joca Seria, 2010

La Règle du Je. Autofiction, un essai
PUF, 2010

Le Deuil des deux syllabes
L'une & l'autre, 2010

Une femme avec personne dedans
Seuil, 2012
et « Points » n° 3114

Perceptions
avec Ophélie Klere et François Alary
Joca Seria, 2013

Où le sang nous appelle
avec Daniel Schneidermann
Seuil, 2013

Vous aimez beaucoup voyager
avec Ophélie Klere et François Alary
Éditions du Cimetière, 2015

Alienare
en collaboration avec Franck Dion et Sophie Couronne
Seuil, 2015

Les Sorcières de la République
Seuil, 2016
et « Points » n° 4996

Mes bien chères sœurs
Seuil, 2019
et « Points » n° 5139